Les cahiers d'**exercices**

Cht.

Parler Picard du Nord et du Pas-de-Calais

Débutants

Alain Dawson et Liudmila Smirnova

Avant-propos

Au fil des 190 exercices répartis en 18 leçons, vous découvrirez l'essentiel de la langue picarde telle qu'elle est pratiquée dans le Nord et le Pas-de-Calais, où elle est couramment désignée comme « le chti ». La variante privilégiée est celle du centre de cette région (Artois, Bassin minier), mais les autres prononciations (Lille, Roubaix, Valenciennes, Boulogne, Saint-Omer et même Amiens) sont également abordées. Aucune connaissance préalable n'est requise : le vocabulaire utilisé dans les exercices est introduit au fur et à mesure. Les phrases, les mots utiles, les tournures et expressions courantes vous deviendront vite familiers et vous serez capables de vous exprimer comme un vrai Chti. Les deux premiers chapitres s'attachent à l'écriture et à la prononciation. Dans les chapitres suivants, la grammaire est passée en revue sous tous ses aspects : le système des articles, la formation des noms, l'accord de l'adjectif, les pronoms personnels, les conjugaisons, les nombres... Vous verrez que, contrairement à ce qu'on croit souvent, le « chti » ou picard n'est pas une simple « déformation du français ». Au contraire, il possède une grammaire originale, dont les règles sont parfois éloignées du français.

Ce cahier vous permet également de vous autoévaluer : après chaque exercice, dessinez l'expression de vos icônes (☺ pour une majorité de bonnes réponses, 😐 pour environ la moitié et ☹ pour moins de la moitié). À la fin de chaque chapitre, reportez le nombre d'icônes relatives à tous ces exercices et, en fin d'ouvrage, faites les comptes en reportant les icônes des fins de chapitres dans le tableau général prévu à cet effet !

Sommaire

La graphie

Nous reprenons ici les principes d'écriture utilisés dans le *Guide de conversation chti* chez Assimil, issus des propositions du linguiste Fernand Carton dans les années 1960 et inspirés de l'orthographe du wallon de nos voisins de Belgique (graphie dite Feller-Carton). Ces principes sont aujourd'hui largement utilisés dans les publications en picard et en chti, par exemple dans les traductions picardes des albums d'*Astérix*. Ils sont promus par la Commission lexicologie de l'Agence régionale de la langue picarde.

Le principe général de la graphie Feller-Carton est de **reprendre l'écriture du français,** mais en la **simplifiant** et en la **régularisant.** À la lecture, on peut donc se fier à une règle simple : en lisant chaque mot comme si c'était du français, on arrive à une prononciation acceptable, même si ce n'est pas toujours la meilleure. C'est ce que nous verrons au chapitre suivant.

Lorsqu'on écrit, en revanche, il faut faire des choix qui parfois demandent un peu de réflexion. Les tableaux suivants vous donneront les principales règles à respecter. Des exceptions sont possibles, que vous découvrirez plus tard…

Les voyelles

Lettre	Prononciation	Exemples	Remarques
a	[a]	**Cha**, *ça* ; **abate**, *abattre*	
ai	[é] ou [è] par analogie avec le français	**Faire plaigi**, *faire plaisir*	On le remplace par **é, è, e** pour simplifier s'il n'y a pas d'ambiguïté : **inglés**, *anglais*.
ain, aim	[in] (**è** nasal) par analogie avec le français	**Dmain**, *demain*	Également utilisé à la place de « ein, eim » du français : **plain**, *plein*.
au	[o] par analogie avec le français	**Biau**, *beau* ; **autervar**, *autre part*	
an, am	[an] (**a** nasal)	**Canter**, *chanter* ; **cambe**, *chambre*	On n'utilise jamais « en, em » : **tans**, *temps* ; **exampe**, *exemple*.
é	[é] fermé	**Sé**, *sel*	On ne met pas l'accent si le **e** est suivi d'une consonne muette : **séclet**, *maigre* ; **vnez**, *venez*.
è	[è] ouvert	**Règue**, *règle*	On ne met pas l'accent si le **e** est suivi d'une consonne dans la même syllabe graphique : **berlon**, *inégal*.

Lettre	Prononciation	Exemples	Remarques
e	« e muet » en fin de mot, ne se prononce jamais	**Vake**, *vache*	On le supprime à l'intérieur du mot : **os minjrons**, *nous mangerons* ; **plure**, *pelure* ; **ureuzmint**, *heureusement*.
eu	[eu]	**Keude**, *coude* ; **neu**, *neuf*	
i	[i]	**Ichi**, *ici*	On n'écrit jamais **y**, qu'on remplace par **i**, **ï** : **fisicien**, *physicien* ; **zius**, *yeux* ; **païer**, *payer* (sauf, dans certains parlers, avant ou après un **i** : **pyid**, *pied*).
	[y] devant voyelle	**Capiau**, *chapeau* ; **zius**, *yeux*	
ï	[y] après une voyelle	**Aïure**, *haie* ; **loïer**, *lier*	Également en fin de mot dans certains parlers : **quaï**, *quai* (à Boulogne).
in, im	[in] (**è** nasal)	**Kmin**, *chemin* ; **mimbe**, *membre*	
ien, ïen	[yin]	**Kien**, *chien* ; **loïen**, *lien*	
o	[o]	**Co**, *coq* ; **cose**, *chose*	
on, om	[on] (**o** nasal)	**Chonc**, *cinq* ; **lombe**, *ombre*	
ou	[ou]	**Toudi**, *toujours*	
oi	[wa]	**Erconoite**, *reconnaître*	
oé, oè, oai	[wé], [wè]	**Boère, i boét**, *boire, il boit* **Foaire, i foait**, *faire, il fait*	Dans certains parlers uniquement.
oin, oim	[win]	**Point**, *point*	
u	[u]	**Pluker**, *picorer*	
un, um	[un] (**eu** nasal)	**Pun**, *pomme*	Souvent confondu avec [in].

1 Dans les mots suivants, quels sont ceux qui comportent le son [é] ou [è] (quelle que soit la manière dont il s'écrit) ?

a. biète, *bête*

b. mason, *maison*

c. amaire, *armoire*

d. baket, *péniche*

e. kien, *chien*

2 Dans les mots suivants, quels sont ceux qui comportent le son [o] (quelle que soit la manière dont il s'écrit) ?

a. cadot, *fauteuil*

b. capiau, *chapeau*

c. couker, *coucher*

d. s'ramintuvoir, *se souvenir*

e. plote, *balle*

Les consonnes

Lettre	Prononciation	Exemples	Remarques
c « dur » (devant **a, o, u, r, l**)	[k]	**ch' cat**, *le chat* ; **ch' co**, *le coq* ; **ch' cuin**, *le coin* ; **cras**, *gras*	Dans certains mots courants, **c** en fin de mot est prononcé [k] ou reste muet : **chonc** [chon] ou [chonk], *cinq*.
c « doux » (devant **e, é, è, i**) ç (devant **a, o, u, consonne**)	[s]	**Francés**, *français* **Piçon**, *poisson* ; **açteure**, *maintenant* (dans certains parlers)	Remplace **t** dans les mots en -tion, -tieux : **estacion**, *gare, station* ; **imbicieus**, *ambitieux*. Rarement utilisé (on dit et on écrit plutôt **pichon, achteure**).
ch	[ch]	**Chabot**, *sabot*	Jamais *sh, *sch.
f	[f]	**Foufe**, *chiffon*	Jamais *ph : **fisique**, *physique*.
g « dur » (devant **a, o, u, consonne**) gu devant **e, é, è, i**	[g]	**Ch' garchon**, *le garçon* ; **gogu**, *content* ; **gramint**, *beaucoup* **Guiler**, *couler comme du sirop*	
g « doux » (devant **e, é, è, i**)	[j]	**Minger**, *manger* ; **argint**, *argent*	Pour donner au **g** la valeur « douce » devant **a, o, u**, consonne, on le remplace par **j** : **minjons** → *mangeons* (on n'utilise pas *ge dans ce cas).

Lettre	Prononciation	Exemples	Remarques
h	[h] expiré en début de mot, ou absence de liaison	**Hinguer**, [hingué], *tenter* ; **in haut** [in(h)o], *en haut*	Lorsque le **h** est muet en français, on ne l'écrit pas en picard : **in ome**, *un homme* ; **chl'istoire**, *l'histoire*.
j	[j] devant **a, o, u**, consonne	**Joker**, *rester immobile* ; **in minjant**, *en mangeant*	
k	[k] devant **e, é, è, i**, consonnes autres que **r, l**	**Keir**, *tomber* ; **vake**, *vache* ; **kinkin**, *bébé* ; **kmincher**, *commencer*	
ill	[y] [iy]	**Pouillète** [pouyèt'], *poulette* **Rinviller** [rinviyé], *réveiller*	
ni	[gn] (**n** mouillé)	**Aniau** [agno], *agneau* (ou *anneau*)	Le son [gn] apparaît rarement en fin de mot. Dans ce cas, on l'écrit **gn(e)** comme en français : **règne** (plus souvent **rène**), *époque*.
qu	[k]	**Quand**, *quand* ; **quo**, *quoi* ; **quiter**, *quitter*	**Qu** est utilisé lorsqu'on souhaite conserver l'analogie avec le français ; ailleurs, on note **c** ou **k**.
s	[z] entre deux voyelles [s] ailleurs	**Asir** [azir], *brûler* **Sir** [sir], *être stable*	
ss	[s] entre deux voyelles	**Assir**, *asseoir*	
w	[w] (**ou** bref)	**Warder**, *garder*	Remplacé par **v** lorsqu'il est prononcé [v] : **Vamberchie**, *Wambrechies* (nom de ville).
x	[gz]	**Exampe**, *exemple*	**x** ne se prononce jamais [ks].

3 Les mots suivants commencent tous par le son [k]. Celui-ci peut s'écrire « c », « k » ou « qu ». Remplacer les points par la lettre ou le groupe de lettres qui convient.

a. ...aveu, *cheveu*

b. ...eurir, *courir*

c. ...mige, *chemise*

d. ...écun, *quelqu'un*

e. ...auchète, *chaussette*

4 Les mots suivants comportent tous la lettre « g ». Faut-il la lire [g] ou [j] ?

a. gambe, *jambe* ☐ [g] ☐ [j]

b. angouche, *douleur* ☐ [g] ☐ [j]

c. bager, *embrasser* ☐ [g] ☐ [j]

d. longiner, *traîner, lambiner* ☐ [g] ☐ [j]

e. jougler, *s'amuser* ☐ [g] ☐ [j]

Principe de simplification et de régularisation

L'écriture du picard tend vers un principe phonétique : une lettre ou une combinaison de lettres = un son, toujours le même (dans un contexte donné).

Le français est souvent ambigu : la lettre **t** se prononce [t] dans « nous mentions » (verbe), et [s] dans « des mentions » (nom). Le picard élimine ce type de difficulté : dans cet exemple, l'équivalent chti du nom s'écrit **mincion**, de même que toutes les occurrences du suffixe **-cion** (en français « -tion »).

Autre exemple : **ch** ne se lit jamais [k], comme en français « chorale » (qui s'écrira donc **corale**).

Les consonnes doubles sont systématiquement simplifiées : **abate**, *abattre* ; **aleumer**, *allumer* ; **aleumète**, *allumette* et tous les diminutifs en **-ète**. Seule réelle exception : on conserve le double **ss** entre voyelles pour le distinguer du simple **s** qui se lit [z] : **assir**, *asseoir* / **asir**, *brûler*. Les autres consonnes doubles notent donc un son consonantique allongé ou suspendu : **l' mairrie** [ᵉᵘl mèr...ri], *la mairie* ; **is veutte bin** [i veut...tᵉᵘ bin], *ils veulent bien*.

Les consonnes muettes sont supprimées à l'intérieur des mots : **batiger**, *baptiser* ; **esculture**, *sculpture*, de même que le **h** : **téïate**, *théâtre*.

L'accent circonflexe n'existe pas : **age**, *âge* ; **couter**, *coûter*.

On évite d'utiliser l'apostrophe pour remplacer toutes les lettres du français qui disparaissent en chti (car il y en a beaucoup !) : **kmincher**, *commencer*, et non *k'mincher ; **amiteuzmint**, *affectueusement*, et non *amiteus'mint. On ne l'utilise, en principe, que dans les mots grammaticaux réduits à une ou deux consonnes : **m' mason**, *ma maison* ; **m'n école**, *mon école*.

Pour écrire les mots chti, il convient toujours d'utiliser la forme la plus simple. Ainsi, **kinkin** plutôt que *quinquin (*bébé*, comme dans la chanson « **Dors min ptit kinkin** »), **énui** plutôt que *enn'hui (*aujourd'hui*), **minjons** plutôt que *mingeons (*mangeons*).

5 **Les mots suivants sont identiques en français et en chti. Écrivez-les en appliquant les règles du picard (simplification et régularisation).**

a. action ....

b. dîner ....

c. philosophie ....

d. gazette ....

e. compter ....

6 **Les mots suivants comportent des fautes d'orthographe : réécrivez-les correctement.**

a. abolition (*désastre*) ....

b. attinde (*attendre*) ....

c. phormac'rie .... (trois fautes)

d. tierre (*terre*) ....

e. vaque (*vache*) ....

Principe d'analogie avec le français

Ce second principe vient adoucir le premier pour faciliter l'identification des mots et des formes proches du français.

On conserve la plupart des consonnes muettes finales : **normalmint**, *normalement* (et tous les adverbes et substantifs en **-mint**) ; **caud**, *chaud* ; **tiot**, *petit*. Exception : le **-x** final du français est remplacé par un **-s** muet : **ene cros**, *une croix* ; **malureus**, *malheureux*.

Le choix se base sur l'analogie avec le français :
- entre **e (é, è)** et **ai** pour noter les sons [é], [è] ;
- entre **in, im** et **ain, aim** pour noter le son [in] ;
- entre **o** et **au** pour noter le son [o] ;
- entre **ï** et **ill** pour noter le son [y] ;
- entre **c, k** et **qu** pour noter le son [k] ;
- entre **s, ss** et **c, ç** pour noter le son [s].

Souvent, on peut ainsi distinguer des homonymes ou quasi-homonymes :
- **tert**, *tendre* – **s' taire**, *se taire*
- **min**, *mon* – **main**, *main*
- **co**, *cou* – **caud**, *chaud*
- **païer**, *payer* – **pailli**, *torchis* (cf. *paille*)
- **camp**, *champ* – **quand**, *quand*
- **ceule**, *cette* – **seule**, *seule* (dans certains parlers)

7 **Dans les mots suivants, qui ressemblent au français, remplacez les points par les lettres ou groupes de lettres qui conviennent, choisis parmi ceux qui vous sont proposés.**

a. r......jon (*raison*) : é / ai

d. éch...... (*essaim ; abeille*) : in / ain

b. pi...... (*peau*) : o / au

e. ......ater-vint (*quatre-vingts*) : qu / c

c. s......lé (*soleil*) : o / au

Proficiat ! (Félicitations !) Vous êtes venu(e) à bout du chapitre 1 ! Il est maintenant temps de comptabiliser les icônes et de reporter le résultat en page 128 pour l'évaluation finale.

La prononciation

La nasalisation

On appelle « voyelles nasales » les voyelles qui sont prononcées en expirant une partie de l'air par le nez. Comme en français, elles sont notées à l'aide d'un **n** ou d'un **m** : **an (am), in (im) = ain (aim), on (om), un (um)**. Quelques exemples : **ran**, *bélier* ; **kmin**, *chemin* ; **train**, *train* ; **lombe**, *ombre* ; **brun**, *sombre*. Les voyelles non nasalisées sont dites « orales » : **a, é, eu, i, o, u, ou**.

En chti, **les voyelles orales se nasalisent fréquemment lorsqu'elles sont suivies d'un « n » ou d'un « m »** :

Règle de nasalisation	Exemples
o se prononce [on] devant **n, m**	**Chl' ome** [chlon-m'], *l'homme* **L' marone** [[eu]l' maron-n'], *le pantalon*
é, è, ai se prononcent [in] devant **n, m**	**L' potrène** [[eu]l potrin-n'], *la poitrine* **Del crème** [deul krin-m'], *de la crème* **L' raine** [[eu]l rin-n'], *la grenouille*
eu se prononce [un] ou [in] devant **n, m**	**À l' breune** [al brun-n'] ou [brin-n'], *à la tombée de la nuit* **Del frekteume** [deul frèktun-m'] ou [frèktin-m'], *de l'humidité*

La nasalisation des voyelles orales **o, é, è, ai, eu** devant **n, m** n'est pas notée dans l'orthographe. En revanche, il existe quelques mots comme **insanne**, *ensemble* ; **sanner**, *sembler* ; **tranner**, *trembler*, où la voyelle **an** [an] est historiquement nasale : dans ce cas, la nasalité est notée.

Ces prononciations nasales et nasalisées sont caractéristiques du chti. Elles se perdent aujourd'hui, et l'on entend souvent [om'] au lieu de [on-m'], [maron'] au lieu de [maron-n'], [insan'] au lieu de [insan-n'], etc.

Reliez chacun des mots suivants à sa prononciation nasalisée, et exercez-vous à le lire correctement.

a. À none, *à midi* •

b. Ches peumétères, *les pommes de terre* •

c. Come, *comme* •

d. L' glène, *la poule* •

e. L' mékène, *la bonne amie* •

f. Ene prone, *une prune* •

g. I dène, *il déjeune* •

h. I sanne, *il semble* •

• 1. [eul glèn']

• 2. [kom']

• 3. [i san-n']

• 4. [èn' pron']

• 5. [ché peumétèr']

• 6. [i din-n']

• 7. [i dèn']

• 8. [eul mékèn']

• 9. [kon-m']

• 10. [eul mékin-n']

• 11. [anon-n']

• 12. [in-n' pron-n']

• 13. [eul glin-n']

• 14. [i san']

• 15. [anon']

• 16. [ché pun-métèr']

Le dévoisement des consonnes finales

Les consonnes se répartissent entre les consonnes **voisées** (accompagnées d'une vibration des cordes vocales ou « voix ») et les consonnes **non voisées** (dépourvues de cette vibration). On peut apparier la plupart des consonnes selon ce critère, comme indiqué dans le tableau ci-contre :

[h], [l], [m], [n], [r], [w], [y] sont toujours voisés et ne sont donc pas appariés.

En fin de mot, les consonnes voisées ont fortement tendance à se dévoiser, c'est-à-dire qu'elles sont remplacées par leur équivalent non voisé. Le dévoisement n'est pas noté à l'écrit, à l'exception du suffixe « **-ache** » (en français **-age**), très emblématique du chti.

Voisé	Non voisé
[b]	[p]
[d]	[t]
[v]	[f]
[g]	[k]
[j]	[ch]
[z]	[s]

Banque de mots

chl' abe	[chlap']	l'arbre
minjabe	[minjap']	mangeable
rade	[rat']	vite
déchinde	[déchint']	descendre
l' pleuve	[eul pleuf']	la pluie
l' tave	[eul taf']	la table
largue	[lark']	large
I tègue	[i tèk']	Il est essoufflé
I minge	[i minch']	Il mange
I cange	[i kanch']	Il change
I ravise	[i raviss']	Il regarde
ene cose	[in-n' koss']	une chose
Queu dalache !	[keu dalach']	Quelle affaire ! (expr.)
Mariache ménache !	[maryach' ménach']	Mariage, ménage ! (expr.)

2 Écrivez les mots à partir de la prononciation indiquée, en vous aidant de leur traduction en français.

a. [vint'] « vendre » ....

b. [du chit'] « du cidre » ....

c. [eul vrit'] « la vitre » ....

d. [in-n' ross'] « une rose » ....

e. [probap'] « probable » ....

f. [i rékap'] « il échappe » ....

g. [ch'lif'] « le livre » ....

h. [eul lank'] « la langue » ....

i. [du chuk'] « du sucre » ....

3 Regroupez les mots dont les lettres en couleur se prononcent de manière identique.

ducasse, *fête*   contabe, *fiable*   tiète, *tête*   ofère, *offrir*   onze, *onze*

acater, *acheter*   timpe, *tôt*   rinde, *rendre*   longue, *longue*   pove, *pauvre*

a. [s] : ....   d. [t] : ....

b. [f] : ....   e. [k] : ....

c. [p] : ....

Du français au chti (et retour)

Le picard et le français sont deux langues très proches, qui ont en commun beaucoup de mots de même origine, mais qui ont parfois évolué de façon différente dans leur prononciation. Quelques « astuces » permettent souvent de passer de l'une à l'autre :

Français	Chti	Exemples
Cha, che	Ca, ke	**Capiau**, *chapeau* **Vake**, *vache*
Ja, ge	Ga, gue	**Ganne**, *jaune* **Largue**, *large*
Ç, ce, ci	Ch	**Cha**, *ça* **Ichi**, *ici* **Rachène**, *racine*
G (dans certains mots)	W	**Du watiau**, *du gâteau* **Warder**, *garder*
En, em	In, im	**Sintir**, *sentir* **Souvint**, *souvent* (*)
Oi (en fin de syllabe)	O	**Ch' mos**, *le mois* **L' potrène**, *la poitrine*
Eau	Iau	**Ch' biau catiau**, *le beau château*
Re- (préfixe)	Er- (généralement prononcé [ar'])	**Ersintir** [ar'sintir], *ressentir*
Les groupes de consonnes en fin de mot sont simplifiés		**Ch' minisse**, *le ministre* **Possibe**, *possible* **Ête**, *être*

(*) En revanche, **an** reste **an** : français *chanter*, picard **canter**.

13

4 Traduisez les mots français suivants en chti.

a. Mentir ....

d. Nouveau ....

b. Trois ....

e. Refaire ....

c. Place ....

f. Centre ....

5 Traduisez les phrases suivantes en français, en vous aidant de la ressemblance entre les deux langues et des règles de transposition vues en page précédente.

a. I cante souvint aveuc ses amisses.

→ ....

b. T'as vu min nouviau capiau ?

→ ....

c. Din min gardin j'ai des biaus porions.

→ ....

d. Cha n'est pon croïabe. → ....

e. Batisse i va minger des waufes.

→ ....

Du chti au picard

Le chti, c'est du picard… Mais il est vrai qu'on ne prononce pas les mots exactement de la même manière à Lille et à Amiens. Rassurez-vous : quelques règles simples permettent de déduire la prononciation du picard amiénois à partir du chti qui est utilisé ici.

Chti	Picard amiénois	Exemples
a en fin de mot	**o**	**Ch' cat → ch'cot** (le chat) **I fra → i fro** (il fera)
au	**eu**	**Caud → keud** (chaud) **D'l'iau → d'l'ieu** (de l'eau)
oi, o correspondant à « oi » en français	**oè, oé**	**Conoite → conoète** (connaître) **Dvoir → dvoèr** (devoir) **Ch' mos → ch' moés** (le mois) **L' bochon → l' boéchon** (la boisson)

iè	è	Biète → bète *(bête)*
ai après **b, p, v, f, m**	oai	Chl' afaire → chl' afoaire *(l'affaire)* Païer → poaiyer (payer)
ain, in	an	Du pain pi du vin → du pan pi du van *(du pain et du vin)*
k, qu, c devant certaines voyelles	tch	In kilomète → in tchilomète *(un kilomètre)* Keir → tcheir *(tomber)* Kerker → kertcher *(charger)* Ch' cœur → ch' tchœur *(le cœur)* Ch' kien → ch' tchien *(le chien)* Ch' curé → ch' tchuré *(le curé)* Quinze → tchinze *(quinze)* Ch' cuin → ch' tchuin *(le coin)*
g, gu devant certaines voyelles	dg, dj	Ralarguir → ralardgir *(élargir)* L' figure → l' fidjure *(la figure)*

6 Voici des mots en picard amiénois. Retrouvez leur équivalent chti.

a. L' tcheue, *la queue* → ....

b. Coutcher, *coucher* → ....

c. Voloèr, *vouloir* → ....

d. Ch' moénieu, *le moineau* → ....

e. Arindgir, *mettre en rang* → ....

f. L' poaiyèle, *la poêle* → ....

g. Ch' bros, *le bras* → ....

Proficiat ! (Félicitations !) Vous êtes venu(e) à bout du chapitre 2 ! Il est maintenant temps de comptabiliser les icônes et de reporter le résultat en page 128 pour l'évaluation finale.

Former ses premières phrases

Les articles définis et indéfinis

En chti, comme en français, il existe des articles définis et des articles indéfinis.

Les articles indéfinis :
- masculin singulier **in**, *un* (liaison en [n] devant voyelle) ;
- féminin singulier **ene**, *une* (se prononce selon les endroits [eun'], [èn'], [in-n']) ;
- masculin et féminin pluriel **des** devant consonne, **des** ou **d's** devant voyelle (liaison en [z]).

Les articles définis :
- masculin singulier **ch'** devant consonne, **chl'** devant voyelle ;
- féminin singulier **l'** devant consonne, **chl'** devant voyelle ;
- masculin et féminin pluriel **ches** devant consonne, **ches** ou **ch's** devant voyelle (liaison en [z]).

Remarque : les articles dépourvus de voyelle (**d's, ch', chl', l', ch's**) sont souvent précédés, dans la prononciation, d'un petit [eu] ou [é] d'appui en début de phrase. Exemple : **ch' cat** [ᵉᵘch ka], *le chat*.

I Placez devant les mots suivants l'article défini et l'article indéfini.

a. ...... / ...... feule (fém. sing.), *feuille*

b. ...... / ...... clèr (masc. sing), *maître d'école*

c. ...... / ...... maristresse (fém. sing.), *maîtresse*

d. ...... / ...... estilo (masc. sing.), *stylo*

e. ...... / ...... inke (fém. sing.), *encre*

f. ...... / ...... vagances (fém. plur.), *vacances*

g. ...... / ...... amassoir (masc. sing.), *dictionnaire*

h. ...... / ...... tavéliau (masc. sing.), *tableau*

i. ...... / ...... alieves (masc. plur.), *élèves*

 **Traduisez les mots suivants.**

a. Une table ....

b. La chose ....

c. Un arbre ....

d. Une fête ....

e. Une poule ....

Les verbes *ête*, être, et *avoir*, avoir au présent

J' su, *je suis*
T'es [té], *tu es*
I est [yé], *il est*
Ale est, *elle est*
Os some [o son-m'], *nous sommes*
Os ête [ozèt'], *vous êtes*
Is sont, *ils ou elles sont*

J'ai, *j'ai*
T'as [ta], *tu as*
I a [ya], *il a*
Ale a, *elle a*
Os ons [ozon] / **os avons** [ozavon], *nous avons*
Os ez [ozé] / **os avez** [ozavé], *vous avez*
Is ont [izon], *ils ou elles ont*

Retenez également les formes **ch'est**, *c'est*, et **ny-a**, *il y a*, d'usage fréquent.

Remarques :
- Au singulier du verbe **ête**, on fait fréquemment la liaison en **t-** devant voyelle : **j' su t-ichi, t'es t-ichi, i est-ichi**, *je suis ici, tu es ici, il est ici*.
- Le pronom personnel **os** signifie à la fois « nous » et « vous ». Le **s** est muet devant un mot commençant par une consonne (**os some**) ; il indique une liaison en [z] devant un mot commençant par une voyelle (**os ête, os ons, os ez**).
- Le pronom personnel **is**, 3ᵉ personne du pluriel, est utilisé pour les deux genres (*ils, elles*). Le **s** est muet devant consonne (**is sont**) ; il indique une liaison en [z] devant voyelle (**is ont**).

Banque de mots

inglés, inglèse	*anglais, -aise*	**tiot, tiote**	*petit, -ite*
ch' vigin	*le voisin*	**l'raijon**	*la raison*
bénache	*content*	**cor**	*encore*
l' mason	*la maison*	**souvint**	*souvent*
ch' vilache	*le village*	**fin**	*fin*
des ruses [russ'] (fém. pluriel)	*des difficultés, des problèmes*	**Qui qu' ch'est ?**	*Qui est-ce ?*
		Quo qu' ch'est ?	*Qu'est-ce que c'est ?*
bélot, bélote	*joli, -ie*	**Quo qu'i ny-a ?**	*Qu'est-ce qu'il y a ?*

Complétez les phrases suivantes avec la forme du verbe *ête* **ou** *avoir* **qui convient.**

a. J' .... inglés.

b. Os .... ene mason din ch' vilache.
(deux réponses possibles)

c. Is .... toudi bénaches.

d. T' .... cor des ruses.

e. Ale .... fin bélote.

f. Ch' .... des vakes.

g. Is .... souvint raijon.

 Reliez les questions aux réponses possibles.

1. Qui qu' ch'est ? •

2. Quo qu' ch'est ? •

3. Quo qu'i ny-a ? •

• a. Ch'est ch' vigin.

• b. Ny-a ene mason.

• c. Ch'est ch's Inglés.

• d. Ch'est ch' vilache.

• e. Ch'est l' maristresse.

• f. Ny-a des ruses.

• g. Ch'est l' ducasse.

Les verbes du 1er groupe au présent

Raviser, *regarder*	Acater, *acheter*
J' ravise, *je regarde*	**J'acate**, *j'achète*
Te ravises, *tu regardes*	**T'acates**, *tu achètes*
I ravise, *il regarde*	**I acate**, *il achète*
Ale ravise, *elle regarde*	**Ale acate**, *elle achète*
Os ravisons, *nous regardons*	**Os acatons**, *nous achetons*
Os ravisez, *vous regardez*	**Os acatez**, *vous achetez*
Is ravistte, *ils ou elles regardent*	**Is acatte**, *ils ou elles achètent*

Remarque : la 3ᵉ personne du pluriel prend la désinence **-tte** (ou **-te** si le radical se termine par un **t**), qui se prononce comme un double [tt] éventuellement suivi d'une petite voyelle d'appui [é] ou [eu] : **Is ravistte ches gins** [i ravist-t^eu ché jin] → *Ils regardent les gens.*

5 Conjuguez au présent les verbes suivants.

Canter, *chanter*	Pinser, *penser*	Aflater, *caresser*
J'	J'	J' ....
Te	Te	T' ....
I, ale	I, ale	I, ale ....
Os	Os	Os ....
Os	Os	Os ....
Is	Is	Is ....

Le sujet des verbes à la 3e personne

Lorsque le sujet d'un verbe à la 3e personne (du singulier ou du pluriel) est un nom, on utilise malgré tout le pronom personnel (**i**, *il* ou **ale**, *elle* ou **is**, *ils/elles*). Exemples :
- **Ch' vigin i cante** → *Le voisin chante.*
- **L' vake ale ravise passer ches trains** → *La vache regarde passer les trains.*

6 Remettez les mots dans l'ordre afin de former des phrases.

a. minjabe / ch' watiau / i n'est pon.

→ ....

b. i acate / chl'ome / in biau mantiau.

→ ....

c. te ravises / ch'est qu' / quo qu' / ?

→ ....

d. aveuc del salade / ches curés / des peumétères / is minjtte.

→ ....

e. bin / is / ches moniaus / cantte.

→ ....

f. ch' cat / ch' tiot kinkin / i aflate.

→ ....

7 Complétez la grille à l'aide des mots présentés dans l'exercice 1. Les cases orangées font apparaître le nom féminin qui signifie « cartable, sac d'école ».

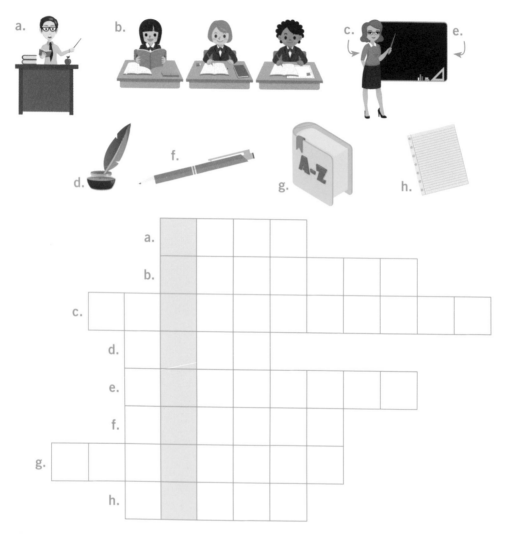

Réponse : *le cartable* = L' _ _ _ _ _ _ _ _

Proficiat ! (Félicitations!) Vous êtes venu(e) à bout du chapitre 3! Il est maintenant temps de comptabiliser les icônes et de reporter le résultat en page 128 pour l'évaluation finale.

Saluer, se présenter et présenter quelqu'un

Saluer, demander comment ça va, dire au revoir

Formules de salutation neutres :
Bonjour m'n ome [bonjour ᵉᵘmn' on-m'] **! Bonjour chele dame** [cheul' dam'] **!**
→ *Bonjour Monsieur ! Bonjour Madame !*
Bonjour mes gins [mé jin] **! Bonjour tertous** [tèrtouss'] **!**
→ *Bonjour messieurs dames ! Bonjour tout le monde !*

Si l'on connaît bien la personne :
J' di bonjour ! → *(Je dis) bonjour !*

Pour saluer de façon informelle (en français : « salut ! ») :
Ch'est ti là ! [ché ti la] → *C'est toi là !*
T'es là X ! [té la] → *Tu es là, X !*
Te vla X ! [teu vla] → *Te voilà, X !*
Tien, X ! [tchyin] → *Tiens, X !*
(Remplacez X par le prénom de la personne)

Un simple échange de prénoms permet de se saluer :
  – **Edmond !**   → – Salut Edmond !
  – **Arnesse !**   → – Salut Ernest !

Cha va ? → *Ça va ?*
Kmint qu'i va ? → *Comment ça va ?*

Mi cha va, pi ti ? → *Moi, ça va, et toi ?*
Queu nouvèle ? → *Quoi de neuf ?*

Aveuc in toniau in fait deus cuvèles ! → *Avec un tonneau on fait deux baquets.*
(Il s'agit d'une réponse facétieuse que l'on fait parfois en réponse à la question **Queu nouvèle ?** : **l' cuvèle** est un baquet en bois fabriqué en coupant un tonneau en deux.)

Adé ! → *Salut !* ou *Au revoir !*
À s'ervir ! → *Au revoir !*

À d'soubite ! → *À bientôt !*

Quelques formes typiques de prénoms en picard

Batisse, Tisse	*Baptiste*	Lalie	*Eulalie*	Zabèle	*Isabelle*
Cola	*Nicolas*	Magrite	*Marguerite*	Zande [zant']	*Alexandre*
Flipe	*Philippe*	Mimile	*Émile*	Zef	*Joseph*
Chos [cho]	*François*	Noré	*Honoré*		
Fonse	*Alphonse*	Ugène [ujin-n']	*Eugène*		

1 **Ugène et Zabèle se rencontrent. Choisissez la réponse qui convient à la situation.**

a. Ugène : Bonjour chele dame !
   Zabèle : ☐ Bonjour m'n ome ! ☐ J' di bonjour !

b. Ugène : Zabèle !
   Zabèle : ☐ Bonjour tertous ! ☐ Ugène !

c. Ugène : Tien, Zabèle !
   Zabèle : ☐ T'es là Ugène ! ☐ Bonjour m'n ome !

d. Ugène : Kmint qu'i va ?
   Zabèle : ☐ Mi cha va, pi ti ? ☐ Aveuc in toniau in fait deus cuvèles !

Conjuguer un verbe pronominal au présent

Les verbes **s'apler** et **s' lomer** sont synonymes, ils signifient tous deux « s'appeler ».

S'apler, *s'appeler*	**S' lomer**, *s'appeler (se nommer)*
J' m'apèle, *je m'appelle*	**Je m' lome** [jeum' lon-m'], *je m'appelle*
Te t'apèles, *tu t'appelles*	**Te t' lomes** [teut' lon-m'], *tu t'appelles*
I s'apèle, *il s'appelle*	**I s' lome** [iss' lon-m'], *il s'appelle*
Ale s'apèle, *elle s'appelle*	**A' s' lome** [ass' lon-m'], *elle s'appelle*
Os s'aplons, *nous nous appelons*	**Os s' lomons** [oss' lon-mon], *nous nous appelons*
Os s'aplez, *vous vous appelez*	**Os s' lomez** [oss' lon-mé], *vous vous appelez*
Is s'apeltte, *ils ou elles s'appellent*	**Is s' lomtte** [i s-lon-mt'], *ils ou elles s'appellent*

Notez les pronoms réfléchis :
- au singulier **m'**, **t'**, **s'** ;
- au pluriel **s'** à toutes les personnes (correspondant au français *nous*, *vous*, *se*).

Remarquez que, dans la conjugaison du verbe **s'apler**, deux radicaux alternent :
- **apel-** aux trois personnes du singulier et à la 3ᵉ personne du pluriel (*je, tu, il/elle, ils*) ;
- **apl-** aux deux premières personnes du pluriel (*nous, vous*).

De nombreux verbes se conjuguent ainsi sur deux radicaux, qu'il faut connaître. Le premier, dit radical accentué, est utilisé avec une désinence muette (par exemple **-e**, **-es**) ou réduite à une consonne (**-tte** à la 3ᵉ personne du pluriel). Le second, dit radical inaccentué, est utilisé avec une désinence pleine, comportant au moins une voyelle articulée (**-ons**, **-ez**, **-er**, etc.).

À noter : dans les chapitres suivants, les verbes seront toujours présentés à la 1ʳᵉ personne du singulier et à la 1ʳᵉ personne du pluriel lorsque les deux radicaux sont différents.

2 Complétez le dialogue suivant en utilisant les formes conjuguées des verbes : *apler, lomer, ête, aler.*

a. – Bonjour, mi j' m'................................ Magrite.

b. – Pi vous, kmint qu'os s'.............................. ?

c. – Mi ch'.............................. Zande.

d. – Kmint qu'i ...., Zande ?

e. – Mi cha ...., pi ti ?

La famille

Ches taïons
Les grands-parents

Ch' taïon
Le grand-père
Zef

L' taïone
La grand-mère
Zélie

Ches parints
Les parents

Ch' père
Le père
Cola

L' mère
La mère
Lalie

Ches mononkes pi ches matantes
Les oncles et tantes

Ch' mononke
L'oncle
Fonse

L' matante
La tante
Zulma

Ch's éfants
Les enfants

Ch' frère
Le frère
Matiu

L' seur
La sœur
Marie

Ches cousses
Les cousins

Ch' cousse
Le cousin
Nanar

L' cousène
La cousine
Gélique

Matiu ch'est l' fiu à Cola pi Lalie → *Mathieu est le fils de Nicolas et d'Eulalie.*
Vous verrez au chapitre 6 pourquoi on écrit **l' fiu** et non **ch' fiu**.
Gélique ch'est l' file à Fonse pi Zulma → *Angélique est la fille d'Alphonse et de Zulma.*

3 Répondez aux questions sur la famille de Matiu (Mathieu). ••

a. Qui qu' ch'est Marie ? – Ch'est s' seur. *(Qui est Marie ? – C'est sa sœur.)*

b. Qui qu' ch'est Fonse ? – .... sin *(son)* ....

c. Qui qu' ch'est Cola ? – ....

d. Qui qu' ch'est Zélie ? – ....

e. Qui qu' ch'est Nanar pi Gélique ? – .... ses ....

4 Répondez aux questions sur vous-même et votre famille. ••

a. Kmint qu'os s'aplez ? ....

b. Kmint qu'is s'apeltte vos parints ? Min père i ....
   pi m' mère ale ....

c. Qui qu' ch'est vo mononke ? ....

d. Kmint qu'is s' lomtte vos cousses ? ....

5 Complétez les phrases suivantes, en indiquant qui est le fils (*l' fiu*), la fille (*l' file*), ••
le petit-fils (*l' tiot-fiu*) ou la petite-fille (*l' tiote-file*) de qui.

a. Fonse ch'est l' fiu à .... pi ....

b. Gélique ch'est l' .... à Fonse pi Zulma.

c. Marie ch'est l' tiote-file à .... pi ....

d. Nanar ch'est l' .... à Zef pi Zélie.

Les métiers

ch' boulinguer, l' boulinguère	le boulanger, la boulangère
ch' bouticlier, l' bouticlière	le commerçant, la commerçante
ch' cadoreus [kadoreu], l' cadoreuse [kadoreuss']	le policier, la policière
ch' carbonier, l' carbonière	le mineur, la femme mineur
ch' cérusien, l' cérusiène	le médecin, la femme médecin
ch' cinsier, l'cinsière	l'agriculteur, l'agricultrice
ch' dintisse, l' dintisse	le dentiste, la dentiste
chl'imploïé, chl'imploïée	l'employé, l'employée
chl'inginieus, chl'inginieuse	l'ingénieur, l'ingénieure
ch' jueus d' comédie, l' jueuse d' comédie	l'acteur, l'actrice
chl'ouvérier, chl'ouvérière	l'ouvrier, l'ouvrière
ch' pékeus, l' pékeuse	le pêcheur, la pêcheuse

6 Quel est le métier de ces personnages ?

a.  Batisse i est ....

b. Flipe i est ....

c.  Frasie ale est ....

d. Fifine ale est ....

e. • Zande i est ....

7 Dans la grille ci-dessous, vous trouverez sept noms de métiers (dont certains peuvent être sur 2 lignes). Les lettres en trop permettent d'en écrire un huitième : lequel est-ce ?

E	C	A	R	B	O	N	I	E	R	P	S	J	U	E	U
S	D	C	O	M	E	D	I	E	D	I	N	T	I	S	S
E	E	C	A	D	O	R	E	U	S	C	I	N	S	I	E
R	B	O	U	L	I	N	G	U	E	R	K	O	U	V	E
R	I	E	R	U	B	O	U	T	I	C	L	I	E	R	E

....

8 Lisez le dialogue suivant et essayez de le traduire.

Cola	Bonjour mes gins !	Nicolas	....
Zef	Bonjour à ti t-à part ti ! Kmint qu'te t' lomes ?	Joseph	.... tout seul ! ....
Cola	Mi ch'est Cola.	Nicolas	....
Zef	D'dù qu't'es, Cola ?	Joseph	D'où es-tu, ...
Cola	J' su d'Armintire. Pi ti ?	Nicolas	.... Armentières. ....
Zef	Mi j' su d'Aro.	Joseph	.... Arras.
Cola	Vla m' feme, ale s'apèle Norine. Ale est dintisse. Ale est d' Boulone.	Nicolas	Voilà .... Honorine. .... Boulogne-sur-Mer.
Zef	Pi ti, quo qu' ch'est tin métier ?	Joseph	....
Cola	Mi, j' su boulinguer.	Nicolas	....
Zef	Adé, Cola !	Joseph	....
Cola	À s'ervir !	Nicolas	....

9 **Nicolas (*Cola*) se présente : traduisez en chti son texte de présentation.**

Bonjour, comment ça va ? Je suis Nicolas. Mon père s'appelle Joseph, il est professeur. Ma mère est employée. Mes grands-parents sont commerçants. Ils sont de Boulogne-sur-Mer. Ma femme s'appelle Eulalie, elle est de Paris. Et voilà mes enfants, Mathieu et Marie.

....

....

....

....

....

....

....

Proficiat ! (Félicitations !) Vous êtes venu(e) à bout du chapitre 4 ! Il est maintenant temps de comptabiliser les icônes et de reporter le résultat en page 128 pour l'évaluation finale.

27

5

Le nom

Le nombre : singulier et pluriel des noms

À l'oral, la prononciation des noms est identique au singulier et au pluriel, le nombre n'étant marqué que par la variation du déterminant et/ou l'accord. À l'écrit, le pluriel se forme régulièrement en ajoutant un **-s** muet (sauf si le nom se termine par un **-s** ou un **-z** au singulier, auquel cas il reste invariable) :

In cat [in ka], *un chat* – **des cats** [dé ka], *des chats*
L' caïèle, *la chaise* – **ches caïèles**, *les chaises*
In tiot éfant [in tchyo éfan], *un petit enfant* –
des tiots éfants [dé tchyo-z-éfan], *des petits enfants*
Min bras, *mon bras* – **mes bras**, *mes bras*.

Contrairement au français, on n'utilise jamais **-x** au pluriel. Les noms en **-au**, **-eu**, **-ou** suivent la règle commune : **ches viaus**, *les veaux* ; **ches caveus**, *les cheveux* ; **mes guenous**, *mes genoux*.

À noter : vous pouvez donc oublier la règle du français pour *bijoux, cailloux, choux, genoux, hiboux, joujoux, poux...* d'autant plus que ces mots se disent en chti **dorlots, caillaus, colets, guenous, cawans, jujutes, leusses !**

Pas d'exception non plus pour les noms en **-al** : **in bétal**, *un animal* – **des bétals**, *des animaux.*

À noter : les noms en **-al**, pluriel **-aux** du français font généralement **-au**, **-aus** (ou **-a**, **-as**) en chti : **in kvau**, *un cheval* – **des kvaus**, *des chevaux* (on dit aussi **in kva** – **des kvas**).

La seule exception à l'invariabilité est **ene eule** (féminin singulier), *un œil* – **des zius** (masculin pluriel), *des yeux* (avec en plus un changement de genre).

I Mettez les noms suivants au pluriel, et traduisez-les en français. 😊

a. Chl'amaire   .... → ....

b. Ch' cadot   .... → ....

c. Ch' jornal   .... → ....

d. Ch' cadoreus   .... → ....

e. Chl'eule   .... → ....

2 Mettez les noms suivants au singulier, et traduisez-les en français.

a. D's estilos .... → ....

b. Des vitraus .... → ....

c. Des canteus .... → ....

d. Des batiaus .... → ....

e. Des momints .... → ....

La maison

l' basse-cambe	les toilettes
l' brouche	la brosse
ch' buriau	le bureau
l' cambe	la chambre
ch' cokmar	la bouilloire
ch' colidor	le couloir
ch' coutiau	le couteau
l' cugène	la cuisine (pièce de la maison)
chl'intrée	l'entrée
ch' manicrake	l'ordinateur
ch' miro	le miroir
l' pékeume	la cuisine, la préparation des aliments
l' plache de dvant	le salon
l' sale d' bain	la salle de bains
l' télète	l'assiette
l' wassingue	la serpillière
ch' zièpe	le savon

s' débrouser	se laver
dormir (j' dor, os dormons)	dormir
erfrodier	refroidir
faire (j' fai, os faijons)	faire
lire (j' li, os lijons)	lire
nétier	nettoyer
ouvrer (j'euve, os ouvrons)	travailler
sékir (j' séki, os sékichons)	sécher
in molet	un peu

3 Où se trouve Henri, selon les situations suivantes ?
Aidez-vous des dessins pour compléter les phrases suivantes.

a. Quand qu'Hinri i dort,

i est din s' ....

b. Quand qu'i ravise l' télé,

i est din l' ....

c. Quand qu'i minge,

i est din l' ....

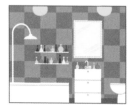

d. Quand qu'i s' débrouse,

i est din l' ....

e. Quand qu'i euve su ch' manicrake,

i est din ch' ....

4 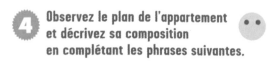 Observez le plan de l'appartement
et décrivez sa composition
en complétant les phrases suivantes.

Quo qu'i ny-a din chl'apartémint ?

a.　　　Din chl'apartémint ny-a ene cugène, ene ....,

　　　　ene ...., ene ....

　　　　pi ene ....

b.　　　Ny-a tros ....

Le genre des noms

Le genre des noms en chti correspond souvent au genre de leurs équivalents français. Mais il existe des exceptions :

Masculin en chti, féminin en français	Féminin en chti, masculin en français
In dint, *une dent*	**Ene ache**, *un âge*
In boutique, *une boutique*	**Ene légueume**, *un légume*
In croate, *une cravate*	**Ene air**, *un air*
In blanc-bonet, *une femme*	**Ene manche**, *un manche (d'outil)*

Quelques mots n'ont pas le même genre au singulier et au pluriel :
- **Ene eule** (féminin singulier), *un œil* – **des zius** (masculin pluriel), *des yeux.*
- **Ene gin** (féminin singulier), *une personne* – **des gins** (masculin pluriel), *des gens.*

La formation du féminin

Pour les noms qui existent à la fois au masculin et au féminin, par exemple les noms de métiers, le féminin se forme généralement à partir du masculin en ajoutant un **-e** muet, avec pour effet de faire sonner la consonne muette finale lorsqu'elle existe. Exemples :
ch' pékeus [pékeu], *le pêcheur* → **l' pékeuse** [pékeuss'], *la pêcheuse*
ch' cinsier [sinsyé], *le fermier* → **l' cinsière** [sinsyèr'], *la fermière*
ch' braïous [bra-you], *le pleurnichard* → **l' braïouse** [bra-youss'], *la pleurnicharde*

Les noms en **-in**, **-un** font au féminin **-ène**, **-eune** :
ch' vigin, *le voisin* → **l' vigène**, *la voisine.*

Le suffixe **-ar** au masculin est remplacé par le suffixe **-oire** au féminin :
ch' babillar, *le bavard* → **l' babilloire**, *la bavarde.*

5 Formez le féminin des noms suivants.

a. Ch' perzidint, *le président* → ...., *la présidente*

b. Ch' taïon → ....

c. Ch' dintisse → ....

d. Ch' barakin, *le forain* → ....

e. In plaindar, *un geignard* → ....

6 Trouvez l'intrus : dans la liste suivante, un seul nom se prononce de façon identique au masculin et au féminin. Lequel ?

Vindeus, *vendeur*   **Artisse**, *vétérinaire*

Mononke, *oncle*   **Alectricien**, *électricien*

Barouteus, *éboueur*

La dérivation : créer un nom à partir d'un verbe

Comme en français et dans de nombreuses langues européennes, il est possible de dériver un mot à partir d'un autre mot en lui ajoutant un *suffixe*. Voici quelques suffixes fréquents permettant de dériver un nom à partir d'un verbe.

Pour désigner l'action ou le résultat de l'action :

Forme	Exemples	
-**ache** (masc.)	**Passer**, *passer* → ch' **passache**, *le passage*	
	Minger, *manger* → ch' **minjache**, *le repas, la nourriture*	
	Daler, *aller* → ch' **dalache**, *le mouvement, le désordre*	
	Parler, *parler* → ch' **parlache**, *la langue, le parler*	

Pour désigner l'outil qui permet de faire l'action :

Forme	Exemples
-o ou **-oir** (masc.)	**Raser**, *raser* → **ch' raso**, *le rasoir* **Polir**, *repasser le linge* → **ch' policho**, *le fer à repasser*
-oire (fém.)	**Cacher**, *chasser, faire avancer* → **l' cachoire**, *le fouet* **Acater**, *acheter* → **d' l'acatoire**, *de l'argent, les moyens d'acheter*
-euse [euss'] (fém.)	**Boulir**, *bouillir* → **ene bouleuse**, *un lave-linge*
-ète (fém.)	**Aleumer**, *allumer* → **ene aleumète**, *une allumette*

7 À quoi servent les outils suivants ? Trouvez les verbes dont sont dérivés les noms d'outils, et indiquez leur nom en français.

a. In policho cha sert à .... : en français « un .... »

b. In raclo cha sert à .... : en français « une .... »

c. In erfrodio cha sert à .... : en français « un .... »

d. Ene balonchoire cha sert à .... : en français « une .... »

e. Ene ékeumète cha sert à .... : en français « un .... »

8 Complétez la grille à l'aide de noms d'objets quotidiens de la maison. Les cases orangées font apparaître le mot désignant la cafetière.

1. Sert à laver les sols
2. On mange dedans
3. On s'assied dessus
4. Pour se regarder
5. Peut servir pour les cheveux, les dents ou les vêtements
6. Il coupe
7. Sert à faire bouillir de l'eau
8. Il mousse

Réponse : *la cafetière* = Chl' _ _ _ _ _ _ _ _ _

9 Dans la ligne suivante, insérez les espaces et les apostrophes entre les mots afin de reconstituer une phrase. Les mots de la phrase vous sont déjà connus, sauf un « mot mystère » :

MMÈREALENÉTIELMASONAVEUCINRAMONPIENEWASSINGUE

La phrase : ....

....

....

Le mot mystère : .... = « balai »

10 Dans chacune des trois phrases suivantes, un mot est mal orthographié : il comporte une lettre en trop. Trouvez cette lettre, et remplacez, dans le mot qui signifie « aspirateur », les chiffres en vert (1, 2, 3) par la lettre en trop dans la phrase correspondante.

1. L' taïone ale fait l' peukeume.
2. J' oeuve din l' plache de dvant.
3. J' minge des frites aveuc in coutiau pi ene fourkètte.

« L'aspirateur » se dit : CH' CH1CHE-P2URÈ3E ....

11 Mettez la table : les pièces du service en chti sont dans la colonne de gauche, et les traductions dans la colonne de droite, mais dans le désordre. Reliez chaque mot à sa traduction.

a. Des fourkètes •   • 1. Des assiettes

b. Des jates •   • 2. Des cuillers à soupe

c. Des louches à soupe •   • 3. Des fourchettes

d. Des télètes •   • 4. Des petites cuillers

e. Des tiotés louchètes •   • 5. Des tasses

f. Des voires •   • 6. Des verres

Proficiat ! (Félicitations !) Vous êtes venu(e) à bout du chapitre 5 ! Il est maintenant temps de comptabiliser les icônes et de reporter le résultat en page 128 pour l'évaluation finale.

Les articles

L'article général

Nous avons vu au chapitre 3 les articles définis et indéfinis. Il existe en picard une troisième catégorie d'article, l'**article général**.

Les formes
- Singulier (masculin et féminin) **l'**
- Pluriel (masculin et féminin) **les** devant consonne, **les** ou **l's** devant voyelle (liaison en [z]).

Les emplois

L'article général se traduit en français par l'article défini : **l' fiu**, *le fils*. Il est utilisé avec un nom désignant une chose, un être ou une notion unique de son espèce, que ce soit de par sa nature ou de par le contexte de l'énoncé. Ce peut être :
- une chose qui n'existe qu'à un exemplaire au monde. Exemples : **l' solé**, *le soleil* ; **l' bèle**, *la lune* ; **l'air**, *l'air* ; **l'inglés**, *l'anglais* (de même pour tous les noms de langue) ;
- une notion abstraite. Exemples : **l' tans**, *le temps* ; **l'infièr**, *l'enfer* ;
- un nom accompagné d'un complément qui le rend unique. Exemple : **l' fiu de m' seur**, *le fils de ma sœur* ;
- **l'aute**, *l'autre* ; **les autes**, *les autres* ; **l' note**, *le nôtre* (et tous les possessifs) ; **les deus**, *les deux* (et tous les numéraux).

Ainsi, selon le choix de l'article (défini ou général), un même nom peut désigner soit un objet concret, soit une notion abstraite dérivée de cet objet :

I va à chl'école (article défini) ➜ *Il va à l'école*, il se dirige vers le bâtiment concret où se déroulent les cours.

I va à l'école (article général) ➜ *Il va à l'école*, il est scolarisé, il fréquente l'institution scolaire.

Remarque : au féminin, devant une consonne, rien ne distingue l'article défini et l'article général (**l'**).

Banque de mots

darder	*chauffer (en parlant du soleil)*
voloir (j' veu, os volons)	*vouloir*
vir (j' vo, os véïons)	*voir*
vnir (j' vien, os vnons)	*venir, devenir*
aler (j' va, os alons, is vont)	*aller*
prinde (j' prin, os prindons)	*prendre*
huker	*appeler, héler (pour faire venir)*
ch' marké	*le marché*
mau	*mal*
chl'églige	*l'église*
erchiner	*goûter, prendre une collation*
ch' lombe (masc.)	*l'ombre*
conoite (j' cono, os conichons)	*connaître*
parler (j' pale, os parlons)	*parler*
n'... pon (négation)	*ne... pas*

1 Dans les phrases suivantes, remplacez les points par l'article qui convient (défini ou général) en l'accordant convenablement en genre et en nombre.

a. .... solé i darde fort.

b. .... vigin i lit .... gazète.

c. Is s' ravistte .... eune .... aute.

d. Tout .... monde i veut vnir t' vir.

e. J' m'in va à .... école du vilache vir .... marister.

f. Prin .... télètes pi porte-lzé din .... cugène !

Les articles contractés

Comme en français, les prépositions **à**, **d'** se combinent avec **l'article général** :
- **à + l'** → **au**
- **à + les** → **aus**, *aux*
- **d' + l'** → **du** (masculin devant consonne), **del** (féminin devant consonne)
- **d' + les** → **des**, **d's**

D' l' demeure inchangé devant voyelle : cf. **du garchon**, **del file** mais **d' l'éfant**, **d' l'arière-tiote-file**.

En revanche, **l'article défini** reste séparé de la préposition : **à ch'**, *aux* ; **de ch'**, *du* ; **à ches**, *aux*. Pour simplifier, on écrit néanmoins **del**, *de la*, cette forme se prononçant comme l'article général contracté.

Exemple d'emplois comparés :
- **Au matin**, *le matin*, au sens de « tous les matins du monde » (article général contracté).
- **À ch' matin**, *ce matin*, ce jour en particulier (article défini non contracté).

L'article partitif

Il indique une quantité indéterminée : **boire <u>du</u> vin**, **minger <u>del</u> flamike**, *manger de la flamiche*.

2 Dans les phrases suivantes, remplacez les points par un article contracté (général), un article partitif, ou par une préposition et un article défini, selon le sens.

a. .... vilache, quand qu'in n' conot pon, in ravise, in n' pale pon.

b. L'églige .... vilache ale est fin vièle.

c. I vaut miu s'erkmander .... bon Diu puto qu'à ses saints.

d. Done .... watiau .... gins !

e. In a souvint .... mau quand qu'in vient viu.

f. In va erchiner .... lombe .... abes.

La nourriture

boire (j' bo, os beuvons)	*boire*	l' bière	*la bière*
bouter	*mettre*	l' tarte	*la tarte*
l' bochon (fém.) ou ch' beuvache (masc.)	*la boisson*	ch' pichon	*le poisson*
		l' char	*la viande*
l'iau	*l'eau*	ch' raton	*la crêpe*
ch' vin	*le vin*	ch' glout-biec	*le gourmand*

3 Que mangent-ils et que boivent-ils ? Complétez les phrases selon les images.

a. Zef i bot .... rouge.

 b. Magrite ale minge
....
à prone

 c. Te veus ....
o bin .... ?

d. Ches tiots is botte ....
pi ches grands is botte ....

4 Voici la recette des crêpes à la bière. Lisez-la, puis indiquez les huit ingrédients nécessaires dans l'ordre où ils apparaissent (avec l'article partitif). Traduisez-les en français.

Boutez l' frène din in saladier. Rajoutez chl'ole, ch' rum pi ches eus. Touillez, pi rajoutez fait-à-fait ch' lait pi l' bière. Laichez erposer ene eure pi faigez cuire ches ratons. Mingez-lzé aveuc du fin chuke o bin del castonade.

Ches inguerdients :

a. .... ➜ de la ....

b. .... ➜ de l'.................

c. .... ➜ du ....

d. .... ➜ des ....

e. .... ➜ du ....

f. .... ➜ de la ....

g. .... ➜ du ....

h. .... ➜ de la ....

Conjuguer au présent un verbe du 2ᵉ ou du 3ᵉ groupe (infinitif en *-ir* ou consonne)

Ces verbes se conjuguent comme ceux du 1ᵉʳ groupe (infinitif en -er), sur deux radicaux (voir chapitre 4), mais les formes du singulier se distinguent par la consonne muette finale : 1ʳᵉ personne **Ø** (absence de désinence), 2ᵉ personne **-s**, 3ᵉ personne **-t**. Exemple : **vir**, *voir*, **j' vo, te vos, i vot, os véïons, os véïez, is votte**.

Le verbe **aler** (*aller*) fait exceptionnellement **is vont** à la 3ᵉ personne du pluriel.

5 Composez toutes les formes conjuguées possibles des verbes « boire » et « voir », en reliant par des flèches les éléments des trois colonnes. Il faut, bien sûr, veiller à la bonne combinaison du radical et de la désinence.

Pronom personnel		Radical		Désinence	
1.	J'	a.	bo-	I.	-ez
2.	Te	b.	beuv-	II.	-s
3.	Os	c.	vo-	III.	-tte
4.	Is	d.	veï-	IV.	-Ø

6 Votre repas du soir comprendra un pot-au-feu et une tarte. Répartissez les produits disponibles entre ces deux plats.

a. in colet	b. des prones	c. des porions	d. des pos d' chuke	e. des peumes

f. des grugèles	g. d's onions	h. des chriges	i. du sé	j. du chuke

....

....

....

....

....

7 Retrouvez quatre mots qui se cachent dans la grille (horizontalement ou verticalement). Avec les lettres restantes, complétez la phrase ci-dessous.

B	I	E	R	E
V	B	O	C	R
I	I	A	U	U
N	H	O	N	M

Ch'est quate coses qu'in bot, ch'est des _ _ _ _ _ _ s.

Usage de l'article « la »

L'article défini féminin français **la** est parfois utilisé comme article général féminin en picard, avec un nom exprimant une chose ou une notion prestigieuse, de portée universelle : **la paix, la guère, la France** (au lieu de *l'* paix, *l'* guère, *l'* France).

Absence d'article

L'article est omis dans certaines expressions figées :
- **Carier fien**, *transporter du fumier*
- **Faire ducasse**, *faire la fête*
- **Aler à messe**, *aller à la messe*

8 Complétez les phrases suivantes en ajoutant l'article féminin qui convient : *l'*, *la* ou *absence d'article*.

a. Ch'est .... guère.

b. Os minjons .... tarte.

c. .... fourkète ale est din ...... télète.

d. Ch' Perzidint d' .... République i fait ene déclaracion.

e. .... Belgique ch'est in biau païs.

f. I va à .... messe tous les diminches.

Pour dire « manger »

Le verbe **minger**, *manger*, possède des synonymes :
- **mier** ou **mnier** (**j' miue, os mions**)
- **maker**, **loufer** qui veulent plutôt dire « manger salement, bouffer »

9 Le chti est riche en expressions imagées lorsqu'il s'agit de la nourriture. Trouvez l'équivalent français des formules suivantes.

a. Minge, make, miu, te n' sais pon quièche qu'i t'minjra !

→ ....

b. I minge come in moniau.

→ ....

c. I a d' pu grands zius que d' grande panche.

→ ....

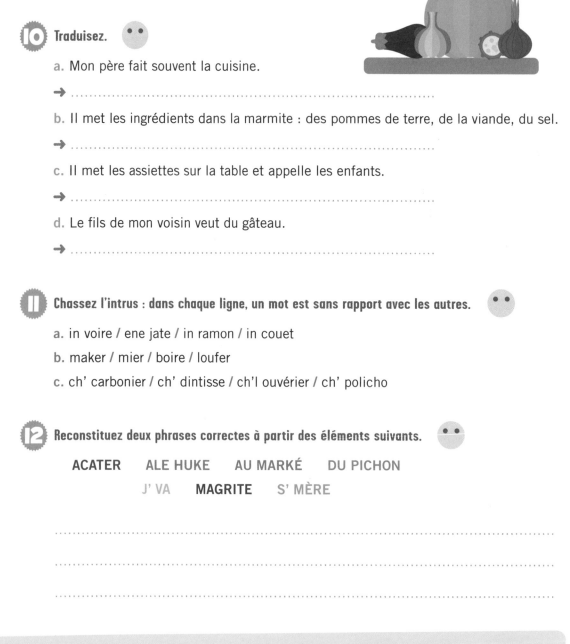

10 Traduisez.

a. Mon père fait souvent la cuisine.

➜ ....

b. Il met les ingrédients dans la marmite : des pommes de terre, de la viande, du sel.

➜ ....

c. Il met les assiettes sur la table et appelle les enfants.

➜ ....

d. Le fils de mon voisin veut du gâteau.

➜ ....

11 Chassez l'intrus : dans chaque ligne, un mot est sans rapport avec les autres.

a. in voire / ene jate / in ramon / in couet

b. maker / mier / boire / loufer

c. ch' carbonier / ch' dintisse / ch'l ouvérier / ch' policho

12 Reconstituez deux phrases correctes à partir des éléments suivants.

ACATER   ALE HUKE   AU MARKÉ   DU PICHON

J' VA   **MAGRITE**   S' MÈRE

....

....

....

Proficiat ! (Félicitations !) Vous êtes venu(e) à bout du chapitre 6 ! Il est maintenant temps de comptabiliser les icônes et de reporter le résultat en page 128 pour l'évaluation finale.

Les démonstratifs

Les adjectifs démonstratifs

Ils sont toujours constitués de deux parties :
- le déterminant proprement dit, placé avant le nom, avec lequel il s'accorde en genre et en nombre ;
- la particule invariable **-là** ou **-chi**, placée après le nom, invariable.

Masculin singulier **ch'** devant consonne, **chl'** devant voyelle (*ce, cet*)	*(nom)*	**-là** (lointain) **-chi** (proche)
Féminin singulier **chele** ou **l'** devant consonne, **chl'** devant voyelle (*cette*)		
Masculin et féminin pluriel **ches** devant consonne, **ches** ou **ch's** devant voyelle (*ces*)		

Remarques :
- Les formes du déterminant préposé se confondent avec les formes de l'article défini, sauf (facultativement) au féminin singulier devant consonne.
- La particule postposée est donc le seul élément qui distingue l'adjectif démonstratif de l'article défini. **Sa présence est obligatoire**, à l'inverse du français ; autrement dit, les formes simples de l'adjectif démonstratif (« ce garçon ») n'existent pas.

La particule **-chi** indique que l'objet ou l'être désigné est proche : **ch' garchon-chi**, *ce garçon-ci.*
La particule **-là** indique que l'objet ou l'être est éloigné : **ch' garchon-là**, *ce garçon-là.*
Les formes en **-là** traduisent également les formes simples du français : **ch' garchon-là**, *ce garçon.*

I Reliez les noms à la forme voulue de l'adjectif démonstratif.

a. bière   b. églige   c. pichon   d. artisse   e. ducasses   f. ablokmints

1. ch'… -chi/-là   2. chele … -chi/-là   3. chl' … -chi/-là   4. ches … -chi/-là

2 Choisissez la forme de l'adjectif démonstratif qui convient.

a. Combin qu'ale coute ☐ ch' ☐ l' ☐ chl' kémige-chi ?

b. À qui qu'ch'est qu'is sont ☐ ches ☐ ch' ☐ cheles cauchures-là ?

c. Ravise, ☐ cheles ☐ chl' ☐ ches pinderlots-chi is sont fin biaus !

d. ☐ Ch' ☐ Chl' ☐ Chele espincèr-chi i vient d'Écoche.

e. N' met pon ☐ chele ☐ ch' ☐ chl' croate-chi, i est rudmint viu.

f. ☐ L' ☐ Ch' ☐ Ches tiote rabillure-là ale li sit fin bien.

3 Transformez les phrases suivantes selon le modèle.

Ch'est in garchon contabe → Ch' garchon-chi i est contabe.
C'est un garçon fiable → Ce garçon-ci est fiable.

a. Ch'est ene file bélote → ....

b. Ch'est des pinderlots in argint → ....

c. Ch'est in acourcheu tout rataconé → ....

Banque de mots

ches rabillures	*les vêtements*
s'abiller (j'm'abile, os s'abillons)	*s'habiller*
s' débiller (je m' débile, os s' débillons)	*se déshabiller*
mette (j' met, os mettons)	*mettre*
roter	*enlever*
afuler	*mettre (un chapeau), coiffer*
défuler	*enlever (un chapeau), décoiffer*
sir (i sit)	*aller, convenir (en parlant d'un vêtement)*
rataconer	*rapiécer, raccommoder*
infuter	*enfiler (un pantalon, des bottes)*
ch' cotron (masc.)	*la jupe*
l' marone (fém.)	*le pantalon*

chl'espincèr	le gilet de laine	ch' pijama	le pyjama
l' kémige	la chemise	ches cauchètes	les chaussettes
l' kémigète	la chemisette	l' casquète	la casquette
l' casaque	la veste		
chl'acourcheu	le tablier		
ches cauchures	les chaussures		
ches bertièles	les bretelles		
ches dorlots	les bijoux		
ch' pinderlot	la boucle d'oreille		
chl'aniau	la bague, l'anneau		
à pieds décaus	pieds nus		
in pile-cors (ou) in pule-cors	en bras de chemise		
mer-nud	tout nu		

4 Maintenant, on s'habille et on se déshabille… Ajoutez les désinences voulues aux verbes des phrases suivantes.

a. Achteure j' m'abil__, j' met__ ene casaque.

b. Te t' débil__ __, te déful__ __ tin capiau.

c. Ale s'abil__, ale met__ sin cotron.

d. Os s' débill__ __ __, os aful__ __ __ nos casquètes.

e. Os s'abill__ __, os infut__ __ vos marones.

f. Is s' débil__ __ __, is déful__ __ __ leus bonets.

5 Complétez les phrases suivantes à l'aide de l'expression qui convient.

a. I a perdu ses cauchures, i va ....

b. I a perdu sn'espincèr, i va ....

c. I n'a pon d' rabillure, i va ....

Les pronoms démonstratifs

Les formes :

		Masculin	Féminin	Neutre
Singulier	simple	**chti**, *celui*	**chele**, *celle*	**ch'**, *ce* ; **cha**, *ça* **chou qu'**, *ce que* **cha-chi**, *ceci* **cha**, **cha-là**, *cela*
	renforcé	**chti-chi**, *celui-ci* **chti-là**, *celui-là*	**chele-chi**, *celle-ci* **chele-là**, *celle-là*	
Pluriel	simple	**cheusses**, **cheus**, *ceux*	**cheles**, **cheus**, *celles*	
	renforcé	**cheus-chi**, *ceux-ci* **cheus-là**, *ceux-là*	**cheles-chi**, **chètes-chi**, *celles-ci* **cheles-là**, **chètes-là**, *celles-là*	

Remarques :

- La forme neutre **chou** est utilisée à la place de **ch'** dans le groupe **chou qu'** (certains utilisent néanmoins **ch' qu'**).

- On utilise souvent la variante **-chil, -lal** à la place des particules **-chi, -là** : **chti-chil, chètes-lal**, etc.

- Les particules **-chi / -chil** et **-là / -lal** peuvent se combiner pour moduler l'expression de l'éloignement. Cela donne, du plus proche au plus éloigné : **chti-chi** < **chti-chi-là** < **chti-là-là** < **chti-là**.

6 Complétez la seconde partie de chaque phrase par le pronom démonstratif qui convient.

a. N'acate pon l' casaque-chi, acate ....-lal.

b. I faut rataconer chl'acourcheu-chi, pon ....-lal.

c. Met puto ches dorlots-chi, pon ....-lal.

d. Infute ches marones-chi, n'infute pon ....-lal.

7 Comme Nanar, désignez les quatre pulls à l'aide des pronoms démonstratifs *chti-chi*, *chti-là*, *chti-chi-là*, *chti-là-là*, que vous choisirez en fonction de leur position par rapport à lui.

a. Chti-………… i est verd.

b. Chti-………… i est rouge.

c. Chti-………… i est bleus.

d. Chti-………… i est ganne.

Le pronom relatif

En picard, le pronom relatif varie selon la personne :
- **Chti qu'i pinse** → *celui qui pense* (masculin singulier)
- **Chele qu'ale pinse** → *celle qui pense* (féminin singulier)
- **Cheusses qu'is pinstte** → *ceux qui pensent* (pluriel)

8 Trouvez les noms de métiers à partir des définitions.

a. Chti qu'i pèke ch'est in _ _ _ _ _ _ _.

b. Chele qu'ale aprint ches alieves ch'est ene _ _ _ _ _ _ _ _ _ _ _ _ _.

c. Cheusses qu'is son'tte ches dints ch'est des _ _ _ _ _ _ _ _ _ _.

d. Chti qu'i fait du pain ch'est in _ _ _ _ _ _ _ _ _ _ _.

Il y a [kèr] et [kèr]...

La prononciation [kèr] recouvre en chti plusieurs homonymes :
- **keir (j'ké, os kéïons)**, *tomber* (l'infinitif se prononce [kèr] ou [ké-ir]) ;
- **quère** *(aller) chercher* : ex. **Va l' quère !** → *Va le chercher !*
- **ker, kère** (adjectif), *cher, chère*, dans les deux sens de « aimé » et « coûteux ».

Ce troisième mot entre dans l'expression très courante **avoir ker**, *aimer*. Exemples :
J' t'ai ker → *Je t'aime.*
J'ai ker à minger → *J'aime manger.*
Avoir pu ker → *préférer.*

9 Dans les phrases suivantes, écrivez correctement les mots qui se prononcent [kèr].

a. M' marone ale keit, va [kèr] .... mes bertièles.

b. Chint euros pour chele kémige-là, cha fait [kèr] .... !

c. T'as [kèr] .... ch' mantiau-là ? Te veus l'acater ?

d. Ches peumes is kminchtte à [kèr] .... de chl'abe.

10 Que met-elle dans sa valise ? Écrivez-le dans la grille.
Les lettres dans les cases grisées forment le nom de son bijou préféré.

Ch' dorlot qu'ale a l' pu ker ch'est in _ _ _ _ _.

11 Il se prépare à aller en soirée, que va-t-il porter ? Écrivez-le dans la grille. Les lettres dans les cases grisées forment le nom de son ornement vestimentaire préféré.

Chl'agobile qu'i a l' pu ker ch'est in _ _ _ _ _ _.

Tout ce que, tous ceux qui

Avec **tout, tous**, on utilise des formes particulières des pronoms :
- **Tout chan qu'**, *tout ce que*
- **Tout chti qu'i** (singulier), *tous ceux qui*

12 Complétez les phrases à l'aide de la forme correcte du pronom neutre (*ch', cha, chou, chan*).

a. .... va ? – Mi .... va, pi ti ?

b. J' m'apèle Cola. – Mi .... est Fonse.

c. J' fais .... que j' veu.

d. Prin tout .... qu' t'as invie.

13 Traduisez.

a. Ne mets pas ce vieux pull, il faut le raccommoder.

→ ....

b. J'aime tout ce que ma grand-mère fait à manger.

→ ....

c. Tous ceux qui aiment les crêpes sont des gourmands.

→ ....

d. Tu peux mettre cette casquette, elle te va très bien.

→ ....

Proficiat ! (Félicitations !) Vous êtes venu(e) à bout du chapitre 7 ! Il est maintenant temps de comptabiliser les icônes et de reporter le résultat en page 128 pour l'évaluation finale.

8
Décrire les qualités et les défauts

Le féminin de l'adjectif

Comme en français, l'adjectif s'accorde en genre et en nombre avec le nom auquel il se rapporte.

À l'écrit, le féminin se forme généralement en ajoutant un **-e** muet au masculin, avec pour effet de faire sonner la consonne muette finale lorsqu'elle existe. Exemples :

- **tiot** [tchyo], *petit* → **tiote** [tchyot'], *petite*
- **grand** [gran], *grand* → **grande** [grant'], *grande*
- **amiteus** [-teu], *aimable* → **amiteuse** [-teuss'], *aimable*

Remarque : la consonne muette peut être différente du français. Exemples :

- **meurt** [meur], *mûr* → **meurte** [meurt'], *mûre*
- **noirt** [nwar], *noir* → **noirte** [nwart'], *noire*
- **pouris** ou **pourit** [pouri], *pourri* → **pourisse** ou **pourite**, *pourrie*
- **nud** [nu], *nu* → **nude** [nut'], *nue*.

Les adjectifs en **-c** font régulièrement leur féminin en **-ke** : **blanc** → **blanke**.

Cas particuliers :

Les adjectifs en...	... font au féminin...	Exemples
-iau	**-ièle**	**biau**, **bièle**, *beau*, *belle* **nouviau**, **nouvièle**, *nouveau*, *nouvelle*
-os **-od**	**-oise** **-oide**	**bourjos**, **bourjoise**, *citadin*, *citadine* **frod**, **froide**, *froid*, *froide*
-ar	**-oire**	**plaindar**, **plaindoire**, *geignard*, *geignarde*
-in **-un**	**-ène** **-eune**	**fin**, **fène**, *fin*, *fine* **brun**, **breune**, *obscur*, *obscure*

Viu, *vieux* fait au féminin **vièle**, *vieille* ; mais sa variante **viés** est régulière (au féminin **vièse**).

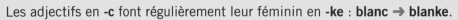

1 Écrivez la forme masculine des adjectifs féminins suivants.

a. bélote → ....

b. longue → ....

c. largue → ....

d. caude → ....

e. bone → ....

f. bavilloire → ....

2 Écrivez la forme féminine des adjectifs masculins suivants.

a. inglés → ....   d. rod → ....

b. malureus → ....   e. muïau → ....

c. viu → ....   f. malin → ....

Quelques adjectifs

bavillar, -oire	*bavard*	**brousé, -ée**	*sale*	
rod, roide	*raide*	**bzant, bzante**	*lourd*	
crolé	*frisé*	**elgère**	*léger*	
muïau, -ièle	*muet*	**d' tro**	*trop*	
hard, -e	*courageux*	**pu**	*plus*	
peurius, -iuse	*peureux*			

Le masculin

L'adjectif masculin reste toujours identique devant voyelle, contrairement au français : **in viu ome**, *un vieil homme* (cf. « un vieux monsieur »), **in biau éfant**, *un bel enfant* (cf. « un beau bébé »). Il n'y a jamais de liaison : **in gros ome** [in gro onm'], *un gros homme* ; **in grand éfant** [in gran éfan], *un grand enfant*.

Dans certains adjectifs courants, la consonne finale au masculin, articulée en français, est muette en picard ; dans ce cas, on ne l'écrit pas. Exemples : **sé**, **sèke**, *sec, sèche* ; **né**, **nète**, *propre, net, nette* ; **neu**, **neuve**, *neuf, neuve* ; **tout seu**, **toute seule**, *seul, seule*.

3 Complétez les phrases en utilisant les opposés.
Exemple : *Min frère i est grand, mais m' seur ale est tiote.*

a. L'iau ale est froide, mais ch' café i est ....

b. Zef i est hard, mais Zélie ale est ....

c. L' marone-chi ale est d' tro courte, mais ch' cotron-là i est d' tro ....

d. T' kémige ale est brousée, mais tn'espincèr i est ....

e. Chl'estilo i est viu, mais chl'inke ale est ....

Reliez le début de phrase dans la colonne de gauche avec la fin de phrase qui lui correspond dans la colonne de droite.

a. Tout chan qu'i dit ch'est pon... •

b. Cha fait tros smaines qu'i n' pleut pon, ch' gardin i est tout... •

c. M' feme ale est au téïate aveuc ches éfants, j' su... •

d. Batisse i va au mariache de s' file, i est tout... •

e. J'ai ker t' tarte au chuke, ale est fin... •

• 1. bénache

• 2. tout seu

• 3. croïabe

• 4. bone

• 5. sé

Le corps humain

l' tiète	la tête	ches dots	les doigts
l' brone	la figure	ch' pau ou ch' pauche	le pouce
ches caveus	les cheveux	l' piau	la peau
ches orèles	les oreilles	ches oches	les os
ch' nez	le nez	ch' gron	le giron (espace compris entre la ceinture et les genoux)
l' bouke	la bouche		
ches loupes	les lèvres		
ch' co	le cou	sintir (j' sin, os sintons)	sentir
l' panche	le ventre		
l' boudène ou l' boutinète	le nombril	acouter	écouter
		aouir (j'aoui, os aouichons) ou intinde (j'intin, os intindons)	entendre
l' potrène	la poitrine		
ches mimbes	les membres	asner (j'assène, os asnons)	toucher
ch' keude	le coude		

 **Complétez les phrases avec les mots désignant des parties du corps.**

a. I ravise aveuc ses _ _ _ _.

b. I acoute aveuc ses _ _ _ _ _ _ _.

c. I assène aveuc ses _ _ _ _.

d. I sint aveuc sin _ _ _.

e. I miue aveuc s' _ _ _ _ _.

6 Voici des expressions typiquement chti faisant référence à des parties du corps, et des expressions françaises ayant un sens équivalent. Mettez-les en relation.

a. I n'a pon ravisé s' boudène au matin ! •

b. Ale a s' brone plaine d' brin d' judas. •

c. Vien à gron, min tiot ! •

d. Rire à gros dints. •

e. Freume t' bouke, tin nez i va keir ddin ! •

• 1. Viens sur mes genoux, mon petit !

• 2. Il s'est levé du pied gauche ce matin !

• 3. Rire jaune.

• 4. Ferme ta bouche !

• 5. Elle a le visage plein de taches de rousseur.

Le pluriel des adjectifs

À l'écrit, le pluriel se forme régulièrement en ajoutant un **-s** (sauf si le nom se termine par un **-s** ou un **-z** au singulier, auquel cas il reste invariable). Ce **-s** reste muet devant une consonne, mais provoque la liaison en [z] devant voyelle :

- **ch' tiot kinkin**, *le petit bébé* → **ches tiots kinkins**, *les petits bébés*
- **ch' tiot éfant** [ch-tchyo éfan], *le petit enfant* → **ches tiots éfants** [ché tchyo-z-éfan], *les petits enfants*

Il existe une particularité importante : au féminin pluriel, l'adjectif prend la désinence **-és** lorsqu'il est placé devant le nom. Exemples :

- **ene tiote file**, *une petite fille* → **des tiotés files** [dé tchyoté fil'], *des petites filles*
- **l' bone tière**, *la bonne terre* → **ches bonés tières**, *les bonnes terres*

7 Mettre au pluriel les expressions suivantes.

a. in nouviau vigin → ....

b. l' casquète inglèse → ....

c. ene largue amaire → ....

d. ch' bon artisse → ....

e. in dalache pon possibe → ....

8 **Choisissez la forme correcte parmi les deux proposées.**

a. ☐ des largues épaules   ☐ des largués épaules

b. ☐ des largues espincèrs   ☐ des largués espincèrs

c. ☐ ene largue kémige   ☐ ene largué kémige

La place de l'adjectif

Comme en français, l'adjectif qualificatif épithète peut se placer avant ou après le nom :
- **in bon watiau**, *un bon gâteau*
- **in watiau minjabe**, *un gâteau mangeable*

Certains adjectifs courts se placent de préférence avant le nom, alors qu'en français ils se placent après ; c'est le cas, en particulier, des adjectifs de couleur et de **neu, neuve, neuf, neuve** :
- **ene bleuse marone**, *un pantalon bleu*
- **des neuvés cauches**, *des bas neufs*

9 **Complétez les phrases avec les couleurs indiquées sur le dessin. Reportez les lettres qui se trouvent sous les chiffres dans la phrase finale. Vous trouverez ainsi le mot qui signifie « bariolé ».**

a. Ses cauchures is sont _ _ _ $\overset{2}{\_}$ _ $\overset{3}{\_}$ _ _ _.

b. Ale a des $\overset{1}{\_}$ $\overset{5}{\_}$ _ _ _ $\overset{7}{\_}$ _ cauches.

c. Sin capiau i est _ $\overset{6}{\_}$ _ _ $\overset{5}{\_}$.

d. S' casaque ale est _ $\overset{6}{\_}$ _ _ _ _.

Sin cotron i est $\overset{1}{\_}$ $\overset{2}{\_}$ $\overset{3}{\_}$ $\overset{4}{\_}$ $\overset{5}{\_}$ $\overset{6}{\_}$ $\overset{7}{\_}$!

10 **Mettez les éléments dans l'ordre pour former des phrases correctes.**

a. ene I Os avez I bouke I grande → ....

b. garchon I Ch' I est in I peurius → ....

c. caveus I noirts I des I Ale a → ....

d. picard I l' parlache I Te conos I ? → ....

11 Complétez ce texte, qui est une publicité pour une boisson gazeuse locale, le « *Chtichi-Cola* », en utilisant les adjectifs suivants (et en les accordant correctement) : *bénache*, *bon*, *chucré*, *meilleu*, *nouviau*.

Ches jones is ont ker à boire du Chtichi-Cola.

Ch'est ene .... bochon ....

pi fin ....

Zèf i dit toudi : ch'est l' pu .... d' ches breuvaches !

Asseurémint, quand qu'i n-in bot, i est .... !

Aveuc Chtichi-Cola, ch'est ducasse quand qu'i drache !

12 Traduisez les phrases.

a. Tes cheveux sont très longs, et tes oreilles sont sales.

➜ ....

b. Il a des yeux noirs et des cheveux raides.

➜ ....

c. Elle est jolie avec ses cheveux frisés.

➜ ....

d. Ce vieux grand-père a un gros ventre.

➜ ....

Proficiat ! (Félicitations !) Vous êtes venu(e) à bout du chapitre 8 ! Il est maintenant temps de comptabiliser les icônes et de reporter le résultat en page 128 pour l'évaluation finale.

Parler de ses origines

Le nom des villes et de leurs habitants

Le nom des habitants est formé sur le nom de la ville avec les suffixes **-os** (fém. **-oise**), **-ien** (fém. **-iène**), parfois **-ot** (fém. **-ote**). Les habitants des villes et des villages étaient fréquemment désignés par un sobriquet collectif (en picard : nom **d' bertèke** ou nom **jté**).

Ville	Habitants	Sobriquets
Aro, *Arras*	**Arajos, -oise** **Artisien, -iène**	**Ches boïaus rouges**, *les boyaux rouges*
Béteune, *Béthune*	**Béteunos**	**Ches copeus d' bo**, *les coupeurs de bois*
Boulone, *Boulogne*	**Bournos, -oise**	**Ches makeus d' breules**, *les mangeurs de viscères de poissons*
Calés, *Calais*	**Calisien, -iène**	**Ches makeus d' breules**, *les mangeurs de viscères de poissons* **Ches makeus d' corée**, *les mangeurs d'abats* **Ches makeus d' moules**, *les mangeurs de moules*
Doï, *Douai*	**Douisien, -iène**	**Ches vintes d'osier**, *les ventres d'osier*
Kimbré, *Cambrai*	**Kimberlot, -ote**	
Lévin, *Liévin*	**Lévinos, -oise**	**Ches codins**, *les dindons*
Lile, *Lille*	**Lilos, -oise**	**Ches sots Lilos**, *les Lillois fous* **Ches Lilos foreus**, *les Lillois foireux*
Linse, *Lens*	**Linsos, -oise**	**Ches brigeus**, *les briseurs* **Ches pères pouilleus**, *les pères pouilleux*
Roubés, *Roubaix*	**Roubéniot, -ote**	
Tourco, *Tourcoing*	**Tourkéniot, -ote**	**Les brouteus**, *les porteurs à brouette*
Valinchène, *Valenciennes*	**Valinchénos, -oise**	

La préposition « à »

La préposition **à** est omise devant un nom commençant par [a] :
J' m'in va Aro → *Je vais à Arras.*

I **Complétez à l'aide de la préposition qui convient (*à*, *d'* ou rien).**

a. I vient ...... Lile pi i va ...... Linse.

b. Is s'in vont ...... Amien.

c. Te viens ...... Boulone pi te t'in vas ...... Advile (*Abbeville*).

Ne confondez pas :

- **du**, article contracté (mis pour **d' + l'**) :
  I vient du Porté → *Il vient du Portel* (ville près de Boulogne) ;

- **dù**, **où** (adverbe de lieu)
  - **Dù qu'i est ?** → *Où est-il ?*
  - **D' dù qu'i vient ?** → *D'où vient-il ?*

Banque de mots

rester (j' resse, os restons)	*habiter*
dmorer (j' démeure, os dmorons)	*rester quelque part*
lavau	*là-bas*
in vagances	*en vacances*
l' carète	*la voiture*
ch' kémin d' fier	*le chemin de fer*
ch' caraban	*l'autocar*
chl'aréo	*l'avion*
l' pourdène	*la dinde*
chl'abe	*l'arbre*

2 D'où viennent-ils ? Répondez aux questions en utilisant les noms des villes.

    a. D' dù qu'is vientte ches boïaus rouges ? ....

    b. D' dù qu'is vientte ches vintes d'osier ? ....

    c. D' dù qu'is vientte ches brouteus ? ....

    d. D' dù qu'is vientte ches codins ? ....

3 Répondez aux questions en utilisant les noms des habitants.

    a. Qui qu' ch'est ches gins d'Aro ? Ch'est ches ....

    b. Qui qu' ch'est ches gins d' Valinchène ? ....

    c. Qui qu' ch'est qu'i vient d' Roubés ? ....

    d. Qui qu' ch'est qu'i vient d' Kimbré ? ....

4 Complétez les phrases (en faisant attention au genre).

    a. M' taïone ale vient d' Boulone, ch'est ene .... /

.... (deux réponses)

    b. M' cousène ale est d' Kimbré, ch'est ene ....

    c. Choise (Françoise) ale resse à Lile, ch'est ene .... /

.... / .... (trois réponses)

Noms de pays et de régions

Pays, région	Habitants	Pays, région	Habitants
France	**Francés, -èse**	**Walonie**, *Wallonie*	**Walon, -e**
Bergique, *Belgique*	**Berge**	**Flande**, *Flandre*	**Flaminc** [flamin], -ke
Ingueltière, *Angleterre*	**Inglés, -èse**		
Almaine, *Allemagne*	**Almand, -de**	**Normindie**, *Normandie*	**Normind, -e**
Épane, *Espagne*	**Épaniol, -e**		

5 Dans la grille suivante se cache un nom de pays en picard. Mais attention au piège !

E	Q	U	P	O	C	K	T
B	E	L	G	I	Q	U	E
E	P	M	L	R	I	M	L
D	A	P	O	M	H	G	F
C	N	O	U	P	L	L	E
A	E	B	V	N	B	L	M
P	O	K	C	I	S	Q	L

6 Écrivez les phrases selon le modèle, en identifiant l'origine des personnages selon le drapeau.

Ch'est Batisse.	Ch'est Aniek pi Corene.	Ch'est John.
I vient d' France.	....	....
Ch'est in francés.	....	....
I pale francés.	....	....

7 Traduisez.

a. Helmut est allemand, il vient souvent en vacances dans le Nord. Il n'aime pas l'avion, il préfère venir en autocar. ➜ ....

....

b. Eulalie va voir sa fille à Tournai (Torné), en Wallonie picarde. Là-bas les gens parlent français et picard. ➜ ....

....

La variation dialectale

Le « chti » fait partie du picard, langue régionale parlée dans une grande partie des Hauts-de-France (sauf le sud de la région et sauf l'arrondissement de Dunkerque, qui est historiquement flamand). Le picard est aussi parlé dans la province de Hainaut en Belgique.

Comme toutes les langues, le picard varie légèrement d'une région à l'autre, et même, dit-on, d'un village à l'autre. Ces quelques différences n'empêchent jamais de se comprendre. Le présent *Cahier d'exercices* se base sur les parlers urbains d'Artois (Arras, Lens, Béthune), souvent dénommés « chti ». Vous avez vu au chapitre 2 quelques différences avec le picard de la région d'Amiens. Voici maintenant, en bref, quelques autres variétés picardes du Nord et du Pas-de-Calais.

Le « rouchi »

On appelle « rouchi » le parler picard du Valenciennois. Voici quelques différences avec le « chti » artésien :

Chti	Rouchi	Exemples
Les anciens **s** devant consonne ont souvent disparu, comme en français.	Maintien des anciens **s** devant consonne	**récaper** → **rescaper**, *échapper, sauver* **étamper** → **estamper**, *mettre debout*
eu dans certains mots	**ué, uè**	**pleuve** → **pluève**, *pluie*
Pronoms personnels **os**, *nous, vous*	**Nos, vos** ou **Nous, vous**	**Os some** → **nos some**, *nous sommes* **Os ête** → **vos ête**, *vous êtes*
Article défini **ch', chl', ches**	**l', les**	**ch' vint** → **l' vint**, *le vent*
Possessifs **min, tin, sin**, *mon, ton, son*	**m', t', s'**	**min garchon** → **m' garchon**, *mon garçon*

Les parlers de l'Ouest

Les parlers des zones rurales du Pas-de-Calais (autour de Saint-Pol, Hesdin, Fruges, Saint-Omer...) et de la côte (de Boulogne à Calais) ont une prononciation caractérisée par de nombreuses diphtongues. Exemples :

canté, *chanté* [kantèy], [-tay] **capiau**, *chapeau* [kapyow], [-aw], [-èw]
minteus, *menteur* [minteuw], [-tèw] **gardin**, *jardin* [gardin-y], [-an-y]

Lille et ses environs

Le parler de Lille partage certaines caractéristiques du « rouchi » : pronoms personnels **nous**, **vous** au lieu de **os**, absence des articles définis **ch'**, **chl'**, **ches** (remplacés par **l'**, **les**).

À Roubaix et Tourcoing, le trait le plus saillant est le remplacement des sons [k] et [g] par [tch] et [dj] devant certaines voyelles (comme à Amiens) :
l' cœur → **l' tchœur**, *le cœur*
canter → **tchanter**, *chanter*
l' figure → **l' fidjure**, *la figure*

8 **Quel est l'intrus ?**

a. Ingueltière / Normindie / Bergique / Almaine

b. Amien / Aro / Dunkerke / Roubés

c. Lilos / Tourco / Bournos / Kimberlot

9 **Traduisez ces premiers vers du poème de Jules Mousseron (de Denain, près de Valenciennes) : « Cafougnète à Paris ».**

Par in Quatorze Juillet, j' vo m' visin Cafougnète
Abillé tout in nué, dpu les pieds jusqu'à l' tiète.
I avot s' capiau-montant (= *haut-de-forme*), ene valise din ses mains,
Et ch'étot tout à paine s'i ravétiot (= *regardait*) les gins.

....

....

....

....

10 Ce dicton, très connu des Chtis et des Picards, signifie littéralement « à chacun son pain et son hareng ». Le sens symbolique est « à chacun selon ses besoins ». Dans le tableau, cochez la case correspondant à la région dont provient la variante, et soulignez les deux indices qui en attestent.

Variante	Valenciennois	Vimeu (Somme)
a. Chacun s' pain, chacun s'n hérin.	☐	☐
b. À chatchun sin pain pi sin hérin.	☐	☐

11 Reliez les pays avec les noms de langues qui y sont traditionnellement parlées (langues nationales ou régionales).

- • 1. inglés
- a. France •
- • 2. basque
- b. Épane •
- c. Bergique •
- • 3. picard
- d. Almaine •
- • 4. flaminc
- e. Ingueltière •
- • 5. épaniol
- • 6. francés
- • 7. almand

12 Devinette : de quelle ville viennent-ils ?

a. Ch'est des gros mingeus : is maktte des breules, des moules pi del corée.

➜ ....

b. Leus femes ch'est des pourdènes. ➜ ....

c. Is n'ont pu gramint d'abes, is ont copé toute ! ➜ ....

d. Is ont ene panche durte. ➜ ....

Reliez chacune des phrases à la ville où elle pourrait être prononcée, compte tenu des particularités dialectales (revoir aussi le chapitre 2 pour le picard amiénois).

- a. Avec min batiaw, j'ai pékaï des biaws pichons.

- c. Vous tchantez toudi des bélés tchanchons.

- b. L' pluève ale a tout escarbouillé (= *écrabouillé*) les fleurs de m' gardin.

- d. L' moés qui vient i vo in vacances au Canado, i dit qu'in France i foait d' tro keud.

Proficiat ! (Félicitations!) Vous êtes venu(e) à bout du chapitre 9! Il est maintenant temps de comptabiliser les icônes et de reporter le résultat en page 128 pour l'évaluation finale.

10

Exprimer la possession

Les adjectifs possessifs

Un possesseur :
- Masculin singulier, devant consonne : **min, tin, sin** = *mon, ton, son*
- Féminin singulier, devant consonne : **m', t', s'** = *ma, ta, sa*
- Masc. et fém. sing., devant voyelle : **m'n, t'n, s'n** = *mon, ton son*
- Pluriel, devant consonne : **mes, tes, ses**
- Pluriel, devant voyelle : **mes, tes, ses** ou **m's, t's, s's**

Plusieurs possesseurs :
- Masculin et féminin singulier : **no, vo, leu** = *notre, votre, leur*
- Pluriel : **nos, vos, leus** = *nos, vos, leurs*

Remarque : on dit aussi, **nou, nous, vou, vous** à la place de **no, nos, vo, vos**.

1 Cochez l'adjectif possessif qui convient.

a. ☐ min   ☐ m'   ☐ mes   frère i euve à Brussèle.

b. ☐ tin   ☐ t'   ☐ tes   parints is sont bénaches.

c. I s'in va vir ☐ sin   ☐ s'   ☐ ses   famile à Béteune.

d. ☐ no   ☐ nos   taïone ale est fin vièle.

2 Complétez les phrases avec les adjectifs possessifs qui correspondent à la personne.

a. J' sors .... carète d' .... garache.

b. Te mets .... cotron pi .... cauches.

c. Ale a fin ker .... acourcheu.

d. Os acoutons .... Perzidint.

e. Os mingez .... prones.

f. Is ravistte .... mason.

3 En observant les images, complétez les phrases avec un adjectif possessif et un nom désignant une partie du corps.

a. Zélie, ... is sont noirts.

b. Lalie pi s' mère, ... is sont verds.

c. Frasie, ... ale est bélote.

d. Zef, ... i est long.

4 Séparez les mots de la phrase avec des espaces et éventuellement des apostrophes.

MINVIUVIGINIVIENTTOUSLESMATINSAMMASONPIIMRACONTESSISTOIRES

....

La santé

coicher	*faire mal, blesser*	**vertillant**	*en pleine forme*
afliger	*blesser*	**chl'opitau**	*l'hôpital*
sonier (j' sone, os sonions)	*soigner*	**l' formasrie**	*la pharmacie*
		ches drogues	*les médicaments*
s'inchiferner	*s'enrhumer*	**du chiro**	*du sirop*
l' catare	*le rhume*	**vla-chi**	*voici*
l' souglou	*le hoquet*	**vla, vla-là**	*voilà*
les fièves	*la fièvre*	**alfos**	*parfois*
mate, ercrand	*fatigué*	**nurvar**	*nulle part*

La possession inaliénable

Lorsque le possédé est inséparable du possédant (un membre, une partie du corps), on utilise en picard un adjectif possessif, alors que le français utilise un article défini.
Exemple : **J'ai du mau à m' tiète** → *J'ai mal à la tête.*

5 Traduire en français.

    a. J'm'ai coiché à m' gambe ➜ ....

    b. Te t'as copé tin dot ➜ ....

    c. I a in drole d' capiau su s' tiète ➜ ....

6 Complétez les phrases.

    a. Ale a du mau à .... tiète.

    b. Os avez du mau à .... dints.

    c. I s'a afligé à .... keude.

Les pronoms possessifs

Un possesseur :
- Masculin et féminin singulier : **l' miène, l' tiène, l' siène**, *le mien, le tien, le sien* ; *la mienne, la tienne, la sienne.*
- Pluriel : **les miènes, les tiènes, les siènes**, *les miens, les tiens, les siens* ; *les miennes, les tiennes, les siennes.*

Remarque : on emploie donc les mêmes formes au masculin et au féminin. Cependant, on trouve aussi, au masculin, les formes **l' mien, les miens, l' tien, les tiens, l' sien, les siens** comme en français.

Plusieurs possesseurs :
- Singulier : **l' note, l' vote, l' leur**, *le nôtre, le vôtre, le leur* ; *la nôtre, la vôtre, la leur.*
- Pluriel : **les notes, les votes, les leurs**, *les nôtres, les vôtres, les leurs.*

7 Complétez les phrases à l'aide d'un pronom possessif.

    a. Ch'est m' bouke ➜ ch'est ....

    b. Ch'est leu dintisse ➜ ch'est ....

    c. Ch'est vos orèles ➜ ch'est ....

    d. Ch'est sin cérusien ➜ ch'est ....

8 Répondez aux questions selon le modèle, en utilisant les adverbes.

| jamais | toudi | alfos | souvint | pu |

Exemple : T'as l' catare quand qu'i fait frod ?

       – Awi, j'ai toudi l' catare quand qu'i fait frod.

a. Te vas à l'opitau quand qu' t'as l' souglou ?

  – Nan, ... (jamais)

b. Te prins du chiro quand qu' te tousses ?

– Awi, ... (toujours)

c. T'as du mau à t' panche quand qu' te minges des glaches ?

  – Awi, ... (parfois)

d. T'euves cor à l' formasrie ? – Nan, ... (plus)

e. T'as les fièves quand qu' t'es inchiferné ?

– Awi, ... (souvent)

9 Retrouvez dans la grille huit mots du chapitre (dont certains peuvent être sur 2 lignes). Les lettres restantes forment, dans l'ordre, un neuvième mot qui permet de compléter la phrase.

S	O	U	G	L	O	U	V	E	R	M	A	T
E	T	I	D	R	O	G	U	E	S	A	L	F
O	S	O	P	I	T	A	U	L	L	F	I	E
V	E	S	F	O	R	M	A	S	R	I	E	A
N	T	I	N	C	H	I	F	E	R	N	E	R

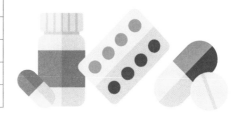

Chti qu'i n'a jamais du mau nurvar i est _ _ _ _ _ _ _ _ _ _ _.

Le complément de nom

Le complément de nom (qui désigne le possesseur) se construit directement, c'est-à-dire sans préposition, lorsqu'il s'agit d'un nom propre désignant une personne. On emploie la préposition **d'**, *de*, avec un nom de lieu ou un nom commun.

Exemples :

- **l' mason Batisse**, *la maison de Baptiste*
- **l' mason d' min vigin**, *la maison de mon voisin*

Complétez les espaces à l'aide de la préposition *d'* **ou** *de* **lorsqu'elle est nécessaire.**

a. L'aniau .... m' feme.

b. L' cadot .... sin taïon.

c. L' kien .... Tutur.

d. L' merrie .... Kimbré.

e. L' vake .... Cola.

Celui de, celle de, ceux de

Les expressions « celui de, celle de, ceux de » se traduisent en chti par un pronom possessif, et non un pronom démonstratif, dans le sens d'un objet ou d'un être appartenant à quelqu'un. Exemples :
- **Ch'est l' siène d' min père** ➜ *C'est celui (ou celle) de mon père.*
- **Ch'est les siènes Batisse** ➜ *Ce sont ceux (ou celles) de Baptiste* (construction directe avec un nom propre, cf. ci-dessus).

 Choisissez le pronom qui convient (*chti***,** *chele* **ou** *l' siène***) dans les phrases suivantes.**

a. L' fiu Batisse i est formacien, ... Zef i est cérusien.

b. .... qu'i est cérusien ch'est l' fiu Zef.

c. Ch' caraban d' Linse i parte à uit eures, ... d' Béteune à onze eures.

d. L' file Zélie ale est imploïée, ... de s' cousène ale est pékeuse.

e. J'ai vu .... qu'ale est cadoreuse.

Les noms des doigts

Voici les noms des doigts utilisés dans les comptines pour enfants :

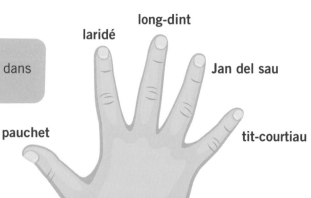

long-dint

laridé

Jan del sau

pauchet

tit-courtiau

12 Voici une comptine traditionnelle que l'on peut chanter en désignant successivement chacun des doigts de l'enfant. Cette comptine a été notée à Lille par Alexandre Desrousseaux (l'auteur du « Ptit Kinkin ») mais elle est connue un peu partout dans le Nord. Indiquez, en face de chaque phrase, le nom du doigt concerné :

	Ches dots :
Min père a acaté in viau	
Chti-chil l'a tué	
Chti-chil l'a salé	
Chti-chil l'a mingé	
Et ch' pove Petit-Courtiau I nn a point eu in ptit morciau !	

13 Traduisez.

a. Le fils de Jean a mal à la main.

→ ....

b. Il va à l'hôpital voir le médecin.

→ ....

c. Celui de Baptiste est enrhumé.

→ ....

d. Il va à la pharmacie acheter du sirop.

→ ....

Proficiat ! (Félicitations !) Vous êtes venu(e) à bout du chapitre 10 ! Il est maintenant temps de comptabiliser les icônes et de reporter le résultat en page 128 pour l'évaluation finale.

11
Les prépositions

Les prépositions de lieu

din	*dans*	**dlé**	*près de*
à mon	*chez*	**lon d'**	*loin de*
su, dsu, dzeur	*sur*	**su**	*vers*
pa-dzeur	*au-dessus de, par-dessus*	**pa, par**	*par*
dzou	*sous*	**avau**	*partout sur*
pa-dzou	*au-dessous de, par-dessous*	**dusqu'à, d'qu'à, tout d'qu'à**	*jusqu'à*
drière	*derrière*	**ju d'**	*en bas de*
pa-drière	*par-derrière*	**alintour d'**	*autour de*
dvant	*devant, avant*	**au mitan d'**	*au milieu de*
pa-dvant	*par-devant*	**inter** ou **inte**	*entre*
apré	*après*	**conter** ou **conte**	*contre*

 Où est le chat ? Complétez en regardant les illustrations.

a.

b.

c.

d.

e.

f.

a. Ch' cat i est .... l' tave.

b. Ch' cat i est .... l' tave.

c. Ch' cat i est .... ch' cadot.

d. Ch' cat i est .... ch' cadot.

e. Ch' cat i est .... ch' carton.

f. Ch' cat i est .... ch' carton.

2 Réécrivez les phrases en inversant l'ordre des noms, et en adaptant les prépositions si nécessaire. **Exemple :** *Chl' garache i est pa-dvant l' mason* → *L' mason ale est pa-drière ch' garache.*

a. L' feule ale est su ch' live.

→ ....

b. J'ai mis mn'espincer pa-dzeur m' kémige.

→ ....

c. Ch' catiau i est au mitan d' ches gardins.

→ ....

d. Chl'églige ale est dlé l' mairrie.

→ ....

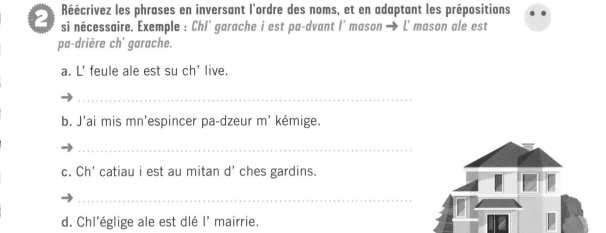

Banque de mots

Cacher (apré, à)	*chercher*
mucher	*cacher*
laicher	*laisser*
tercoper	*traverser*
l' drève	*l'avenue*
ch' kerpion	*le trottoir*
à m' mode, à t' mode, etc.,	*à mon (ton) avis, je pense (tu penses) que…*

3 Lisez le dialogue entre Fonse (Alphonse) et Zulma et répondez aux questions.

Zulma   Quo qu' te caches ?
Fonse   J' cache apré m' carnasse. Te n' l'as pon vu ?
Zulma   À m' mode qu'ale est din l' plache de dvant, dlé ch' cadot.
Fonse   Nan, là ch'est l' bleuse carnasse, j' cache apré l' ganne.
Zulma   Te n' l'as pon laiché din l' carète ?
Fonse   T'as raijon, ale est muché dzou ch' mantiau.

a. Dù qu'ale est l' bleuse carnasse ? ....

b. Dù qu'ale est l' ganne carnasse ? ....

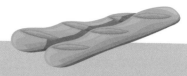

La préposition « à mon », *chez*

Chez se dit **à mon** (ou **mon**).
Pour traduire *chez Untel*, **à mon** se construit directement avec un nom propre désignant une personne : **à mon Zef**, *chez Joseph*. Dans les autres cas, on ajoute **d'** : **à mon d' min frère**, *chez mon frère*.
Chez moi, chez toi, etc., se dit **à m' mason, à t' mason**, etc. (littéralement : « à ma maison »).
Avec un nom de métier, on emploie plutôt la préposition **à** : **aler au boulinguer**, *aller chez le boulanger* (**aler à mon de ch' boulinguer** signifierait : « aller chez tel boulanger que je connais, pour lui rendre visite plutôt que pour lui acheter du pain »).

4 Cochez la case correspondant à la préposition qui convient.

	à mon	à mon d'	
a. I s'in va	☐	☐	ses parints à Boulone.
b. À m' mode qu'i est	☐	☐	Tutur.
c. T'as laiché tin mantiau	☐	☐	tin biau-frère.
d. Pou l' nouvièle énée os some invités	☐	☐	Mononke.

5 Barrez la forme incorrecte.

a. Si qu' t'as du mau à tes dints faut aler **au / à mon du** dintisse.

b. Ny-a pu d' pain, va **au / à mon du** boulinguer pou acater ene baguète !

c. **Au / à mon du** carbonier in s' caufe toudi aveuc du carbon.

d. Os alons **au / à mon du** taïon de m' feme pou Paque.

e. J'ai dzon d'ene neuve casaque, te viens aveuc mi **au / à mon du** boutique ?

6 Sur le plan, suivez l'itinéraire indiqué ci-dessous pour arriver à la pharmacie. Où se trouve-t-elle (point A, B ou C) ?

Te prins l' métro dusqu'à chl'estacion « Canteleu ».

Te tercopes l' plache du Broclet pi te vas tout drot pa l' drève d' Dunkerke dusqu'à l' rue d' l'Églige.

Te tornes à droite, pi à gauche din l' rue Desplankes.

L' formasrie ale est à chint mètes su ch' kerpion d' droite.

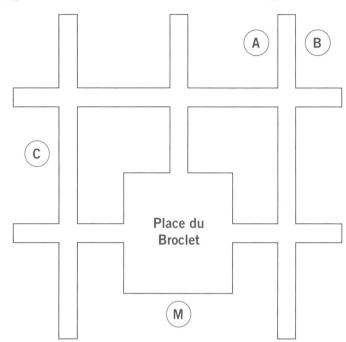

Place du Broclet

La préposition « dvant »

Dvant a deux sens possibles :
• « Devant » (sens spatial) : **I est dvant mi** ➜ *Il est devant moi.*
• « Avant (de) » (sens temporel) : **I a vnu dvant none** ➜ *Il est arrivé avant midi.*

7 Choisissez le sens du mot « dvant » dans les phrases suivantes.

	« avant »	« devant »
a. L' maristresse ale est dvant ches alieves.	☐	☐
b. I faut minger l' glache dvant ch' watiau, o bin sinon ale va fonde.	☐	☐
c. Novimbe ch'est dvant déchimbe.	☐	☐
d. L' boutique de ch' boucher ale est dvant l' siène de ch' boulinguer.	☐	☐
e. J' va passer au boucher dvant rintrer à l' mason.	☐	☐

Au jardin

ch' louchet	la bêche			
ch' ratiau	le râteau	arouser	arroser	
l' fourke	la fourche	erbraker	biner	
chl'arouso	l'arrosoir	brouter	transporter avec une brouette	
chl'erbrakète	la houe			
l' bérouète	la brouette	épeuter	épouvanter, faire peur	
chl'épeutnar	l'épouvantail			
fouir (j' foui, os fouijons)	bêcher	l' clokète	la campanule	
		l' magrite	la pâquerette	
rétler (j' rétièle, os rétlons)	râteler	ch' maon	le coquelicot	
		aveuc	avec	

8 **Complétez les phrases en utilisant des noms d'outils.**
Exemple : *J'arouse mes légueumes* <u>*aveuc in arouso.*</u>

a. I fouit sin gardin ....

b. Ale broute des caillaus ....

c. .... cha sert à épeuter ches ojaus.

d. .... in peut mette ch' fien in mont.

e. Pou erbraker ches peumétères in faut ....

9 **Remplissez les cases avec les mots correspondant aux illustrations.**
Les cases numérotées de 1 à 5 permettent de compléter la phrase.

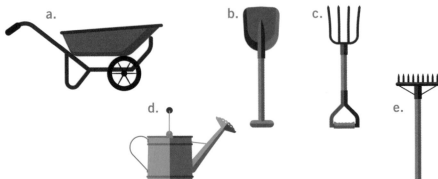

a.   b.   c.   d.   e.

Tout cha ch'est d's 1-2-3-4-5.

Devinez quel est le sens du mot que vous avez trouvé : des _ _ _ _ _ .

e.

a. [ ][ ][ ][ ][2][ ]

d. [ ][3]

b. [1][ ][ ][ ][ ]

5

c. [ ][4][ ][ ]

La préposition « apré »

Elle est souvent utilisée pour introduire les compléments des verbes **cacher**, *chercher* et **atinde**, *attendre*. Exemple : **J' cache apré li** ➜ *Je le cherche.*

Cacher peut aussi se construire avec la préposition **à** lorsqu'on n'est pas sûr de l'existence de la chose que l'on cherche : **Cacher à z-eus**, *chercher des œufs* (remarquez le **z-** de liaison devant voyelle).

Attention : pour traduire *aller chercher* (quelque chose ou quelqu'un) on utilise un autre verbe : **aler quère**.

10 **Choisissez la préposition qui convient :** *apré* **ou** *à*.

a. I fait frod, ale cache .... sin mantiau.

b. L' cinsière ale cache .... z-eu din l'ierbe.

c. Chl'écriveus i cache .... mots.

d. Te caches .... perdu ?

e. Tiot Jan i va à Pole Implo, i cache .... l'ouvrache.

11 **Choisissez le verbe qui convient au sens de chercher :** *cacher* **ou** *quère*.

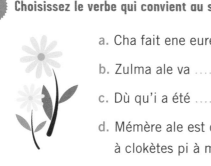

a. Cha fait ene eure que j' .... apré ti !

b. Zulma ale va .... des peumétères à l' cinse.

c. Dù qu'i a été .... tout cha ?

d. Mémère ale est din ches camps, ale .... à magrites, à clokètes pi à maons pou li faire in bouquet.

75

Traduisez les phrases suivantes.

a. J'attends ta sœur. → ....

b. Nous cherchons des fleurs dans les champs.

→ ....

c. Il cherche sa bêche, Alphonse l'a cachée dans les toilettes.

→ ....

Prépositions utilisées seules

Lorsque le contexte est assez clair, on peut, plus facilement qu'en français, effacer le groupe nominal qui suit normalement la préposition. La préposition joue alors le rôle d'un adverbe.
Exemple : **J'm'in va au boutique, te viens <u>aveuc</u> ?** → *Je vais au magasin, tu viens <u>avec moi</u> ?*

 Complétez les phrases à l'aide de la préposition qui convient :
apré — aveuc — conte — sans.

a. Te n'as pon vu mes leunètes ? J' cache ....

b. Tes leunètes, à m' mode que t'as vnu ....

c. Ch'est come cha, in n' peut pon aler ....

d. Zef i s'in va vir sin mononke, Zélie ale va ....

Proficiat ! (Félicitations !) Vous êtes venu(e) à bout du chapitre 11 ! Il est maintenant temps de comptabiliser les icônes et de reporter le résultat en page 128 pour l'évaluation finale.

12

Les nombres, la date, l'heure

Les nombres cardinaux

0	**nus**	18	**dij-uit** [dijuit']
1	**un** (masc.), **eune** (fém.)	19	**dij-neuf** [dijneuf']
2	**deus**	20	**vint** [vint']
3	**tros**	21	**vint-et-un**
4	**quate**	22	**vint-deus**
5	**chonc**	30	**trinte**
6	**sich** (sis, sij)	40	**quarante**
7	**siet**	50	**chincante**
8	**uit**	60	**sochante**
9	**neu(f)**	70	**sochante-dich**
10	**dich** (dis, dij)	80	**quatervint**
11	**onze**	90	**quatervint-dich**
12	**douse**	100	**chint**
13	**trèse**	200	**deus chints**
14	**quatore**	1 000	**mile**
15	**quinze**	2 000	**deus miles**
16	**sèse**	1 000 000	**in miyon**
17	**dis-siet** [dissyèt']	1 000 000 000	**in miyar**

Remarques :

- **Nus** s'emploie dans certaines expressions : **à nus an**, *en bas âge* (littéralement *à zéro an*), **à nus eure**, *à pas d'heure, très tard*.

- Lorsqu'on compte, en particulier dans les jeux d'enfants, on emploie les formes **eune, deusse, troisse**, *un, deux, trois*.

- On utilise **in chint, in mile** lorsqu'ils sont utilisés seuls.

- Le **-t** final dans **siet, uit, vint** est muet devant consonne. Il est prononcé devant voyelle et lorsque le nombre est utilisé seul : **siet garchons** [syé garchon], **siet éfants** [sièt' éfant], **i n'n a siet** [n-na syèt'].

- Les formes **sich, dich** sont utilisées lorsque le nombre est seul : **I n'n a sich** → *Il y en a six*. Sinon, on utilise **sis, dis** (le s est muet) devant consonne, **sij, dij** devant voyelle : **sis garchons** [si garchon], *six garçons* ; **sij éfants**, *six enfants*.

- On utilise la forme **neu** devant consonne, **neuf** devant voyelle et lorsqu'il est utilisé seul : **neu garchons, neuf éfants, i n'n a neuf**. Comme en français, la liaison est en [v] avec certains mots : **neuf eures** [neuv-eur].

1 Écrivez les nombres suivants en toutes lettres.

    a. 113 ....

    b. 333 ....

    c. 4 666 ....

    d. 2 987 654 321 ....

2 Dans la grille, écrivez les nombres en toutes lettres. Les cases orangées donnent le mot qui complète la phrase suivante.

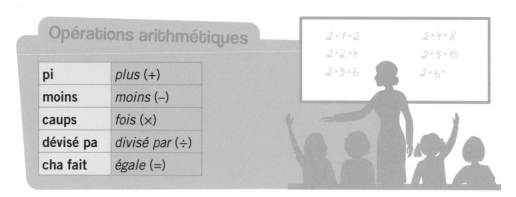

Pour mi aler au deusème étache, j' va toudi à pied. Pou mi aller au neuvème, j' prin l' G _ _ _ _ _ .

Mot français	Signification
pi	*plus (+)*
moins	*moins (–)*
caups	*fois (×)*
dévisé pa	*divisé par (÷)*
cha fait	*égale (=)*

$2 \times 1 = 2$ $2 \times 4 = 8$

$2 \times 2 = 4$ $2 \times 5 = 10$

$2 \times 3 = 6$ $2 \times 6 =$

3 Écrivez les opérations suivantes en toutes lettres, en indiquant le résultat.

    a. $57 + 3 =$ ...... ➜ ....

    b. $31 - 5 =$ ...... ➜ ....

    c. $8 \times 4 =$ ...... ➜ ....

    d. $500 \div 2 =$ ...... ➜ ....

4 Écrivez l'opération suivante en chiffres, et donnez le résultat.

Tros caups tros, moins deus, pi un, dévisé pa quate, caups dich, moins dich

....

....

Banque de mots

ch' téri	*le terril* (colline de résidus miniers)
avand, -de ou **parfond, -de**	*profond*
chl'avandeur ou **l' parfondeur**	*la profondeur*
Lo	*Loos, nom de ville* (Loos-en-Gohelle ou Loos-lez-Lille)
combin qu'	*combien*
couter	*coûter*
ene nieuche dzou dzeur	*à peu près ; un peu plus, un peu moins*

5 Demandez le prix de ces objets fabriqués dans les Hauts-de-France et répondez suivant le modèle.

20 000 €

Combin qu' cha coute ene carète ?
À m' mode qu' cha coute vint miles euros, ene nieuche dzou dzeur.

400 €

a. .... ?

....

....

12 €

b. .... ?

....

....

25 €

c. .... ?

....

....

6 **Choisissez la bonne réponse en l'écrivant en chiffres.**

a. Ches téris d'Lo is faitte ...... mètes d'hauteur.
- ☐ chint quatervint deus
- ☐ quatervint deus

b. L'Escaut i fait ...... kilomètes ed long.
- ☐ deus mile tros chint chincante chonc
- ☐ tros chint chincante chonc

c. Ch' Pas d' Calés, inter la France pi l'Ingueltière, i fait ...... kilomètes d' largue.
- ☐ trinte tros
- ☐ sochante trèse

d. L' vile d'Aro ale a ...... abitants.
- ☐ quatore miles
- ☐ quarante et un miles

e. L' fosse d' Divion ale fait ...... mètes d'avandeur.
- ☐ mile chint quatervint sich
- ☐ chonc chints quatervint dij-uit

Le verbe « faire »

Sa conjugaison est régulière en picard, alors qu'elle est irrégulière en français :
Os faigez, *vous faites*   **Is faitte**, *ils* ou *elles font*

7 **Complétez à l'aide des formes conjuguées du verbe « faire ».**

a. J' .... à minger pou m's éfants.

b. Te .... tes comissions au boutique d' tin vilache.

c. Ale .... des ratons pou l' Candleur.

d. Os .... tout chan qu'os povons.

e. Os .... ene pourménade din ches bos.

f. Is .... ducasse tous les jours del sémaine.

Les nombres ordinaux

Les nombres ordinaux se forment en ajoutant le suffixe **-ème** aux nombres cardinaux, sauf **preme**, *premier*.

1er	**preme** [preum'] ou [prin-m']		6e	**sigème**
2e	**deusème**		7e	**sétème**
3e	**trosème**		8e	**uitème**
4e	**quatrème**		9e	**neuvème**
5e	**chonquème**		10e	**digème**

8 Écrivez en toutes lettres les chiffres ordinaux suivants.

a. 11e ....

c. 100e ....

b. 31e ....

d. 125e ....

Expression de la date

On utilise normalement la préposition **d'** devant le mois : **l' dich d'avri**, *le 10 avril.*

Les jours de la semaine : **lindi, mardi, mékerdi, judi, verdi, semdi, diminche.**
énui ou **aujordui**, *aujourd'hui*
aïer, *hier*
dmain, *demain*

Les mois de l'année

jinvier	*janvier*	**juliet**	*juillet*
févérier	*février*	**aout**	*août*
marche	*mars*	**sétimbe**	*septembre*
avri	*avril*	**octobe**	*octobre*
mai	*mai*	**novimbe**	*novembre*
join	*juin*	**déchimbe**	*décembre*

Les saisons	
ch' bon tans, l' printans	*le printemps*
ches biaus jours, l'été	*l'été*
l'aprésau	*l'automne*
ches courts jours, l'ivier	*l'hiver*

9 **Répondez aux questions en faisant des phrases complètes.**

a. Lindi ch'est l' preme jour del sémaine. Queu jour qu' ch'est semdi ?

....

....

b. Lalie ale resse au deusème étache. Batisse i resse chonc étaches pu haut.
   À queu étache qu'i resse Batisse ?

....

....

c. Queu jour qu' ch'est Noë ?

....

10 **Traduisez les dates suivantes (écrivez les nombres en toutes lettres).**

a. Le vendredi 12 avril 2019 → ....

b. Le 7 novembre 1917 → ....

c. Le 8 mai 1945 → ....

d. Le 14 juillet → ....

e. Aujourd'hui c'est le 1er mai 1999

→ ....

La météo	
chl'ernu	l'orage
l' pleuve	la pluie
ch' vint	le vent
I keit des nèges.	Il neige.

Reliez chaque saison avec les phrases décrivant le temps qu'il y fait habituellement.

a. Au printans • • 1. I fait caud, pi alfos i fait d'l'ernu.

b. Din ches biaus jours • • 2. I fait frod pi i keit des nèges.

c. À l'aprésau • • 3. I fait du vint pi i pleut.

d. Din ches courts jours • • 4. Ches peumiers is sont in fleur
pi ches osiaus is kminchtte à canter.

Les moments de la journée

au matin	*le matin*
au vèpe	*le soir*
par nuit	*la nuit*
pindant l' jornée	*pendant la journée*
à none	*à midi*
dvant-none	*dans la matinée, avant midi*
d'apré-none ou **à l'ermontée**	*dans l'après-midi*
déjuner (j' déjeune, os déjunons)	*prendre le petit déjeuner*
diner (j' dène, os dinons)	*déjeuner, prendre le repas de midi*
erchiner (j'erchène, os erchinons)	*goûter*
souper	*dîner, prendre le repas du soir*
s' déjouker	*se lever, sortir du lit*
s' jouker	*se coucher*
l'ouvrache	*le travail*

 Formez quatre phrases correctes en associant chaque sujet à une forme verbale
et à un complément de temps.

1. Min mononke pi m' matante

2. Min taïon

A. i dène
B. i soupe
C. is erchèntte
D. is printte leu déjuner

a. à uit eures au matin
b. à none
c. à l'ermontée
d. à uit eures au vèpe

1. ....   3. ....

2. ....   4. ....

13 **Conjuguez au présent les verbes suivants.** ••

    a. diner   ....

    b. erchiner   ....

    c. s' jouker   ....

Expression de l'heure

Combin qu'i est d'eures ? → *Quelle heure est-il ?*

10 h 05 : **dij eures chonc**   10 h 45 : **l' quart d' onze eures**
10 h 15 : **dij eures in quart**   10 h 50 : **dis minutes pou onze eures**
10 h 30 : **dij eures et dmi**

14 **Décrivez la journée de Baptiste.** ••

   `[7 30]`   **a.** *(se lever)*
                Batisse i s' déjouke à siet eures et dmi.

   `[8 45]`   **b.** *(aller au travail)*
                I ....

   `[12 30]`   **c.** *(manger avec ses collègues)*
                I ....

   `[15 00]`   **d.** *(travailler)*
                I ....

   `[18 10]`   **e.** *(rentrer chez soi)*
                I ....

   `[19 15]`   **f.** *(faire la cuisine)*
                I ....

`20 00` **g.** *(dîner)*

| ....

`21 00` **h.** *(regarder la télé)*

| ....

`22 50` **i.** *(se coucher)*

| ....

Proficiat ! (Félicitations !) Vous êtes venu(e) à bout du chapitre 12 ! Il est maintenant temps de comptabiliser les icônes et de reporter le résultat en page 128 pour l'évaluation finale.

13
Les pronoms personnels

Les pronoms personnels atones sujets

Les formes suivantes sont employées comme sujets, pour indiquer le nombre, le genre et la personne du verbe, en lien avec la désinence verbale.

		Singulier	Pluriel
1re personne		**j'**, *je*	**os**, *nous*
2e personne		**te, t'**, *tu*	**os**, *vous*
3e personne	masculin	**i**, *il*	**is**, *ils* ou *elles*
	féminin	**ale, a'**, *elle*	

On emploie **te** devant consonne, **t'** devant voyelle. Exemple : **te cantes**, *tu chantes* ; **t'acates**, *tu achètes*. La forme pleine **te** est prononcée [teu] ou [té].

À la 3e personne du singulier féminin, la forme élidée **a'** s'emploie pour éviter une succession de consonnes difficile à prononcer. Exemple : **A' n' sait rin** ➔ *Elle ne sait rien.*

Au pluriel, le **s** est muet devant consonne mais fait la liaison en [z] devant voyelle. Exemples : **os cantez** [o kanté], **os acatez** [oz-akaté].

Rappel : à la 3e personne, le pronom personnel est utilisé même lorsque le sujet est indiqué par un nom. Exemple : **M' seur ale cante** ➔ *Ma sœur chante.*

Pronom personnel indéfini : **in**, *on* (liaison en [n]). **In acate** [in-n-akat'] ➔ *On achète.* **In cante** [in kant'] ➔ *On chante.*

I Mettez le pronom personnel sujet qui convient.

a. .... sont fin bénaches.

b. .... est bélote.

c. .... cantes bin.

d. .... es t-in bon garchon.

e. .... su t-à m' mason.

f. .... ravisons in film à l' télé.

2 Ajoutez aux phrases suivantes le sujet indiqué entre parenthèses.
Exemple : *Ale est blanke (s' mason)* → *S' mason ale est blanke.*

a. I est su l' tave (t'n estilo) → ....

b. Is sont fin bièles (tes cauchures) → ....

c. Normalmint i soupe à uit eures (Cola) → ....

d. A' s' jouke au quart d'onze eures (Gélique) → ....

Les pronoms personnels atones sujets

Les formes suivantes sont employées comme objets (compléments directs et indirects) :

		Singulier		Pluriel	
		non réfl.	réfléchi	non réfl.	réfléchi
1re personne		**m'**, *me*		**nos**, *nous*	
2e personne		**t'**, *te*		**vos**, *vous*	**s'**
3e personne	objet direct	**ll'**, *le* ou *la*	**s'**, *se*	**lzé**, **lz'**, *les*	
	objet indirect	**li** ou **i**, *lui*		**leus**, *leur*	

Les formes sont différentes (sauf aux 1re et 2e personnes du singulier) selon que le pronom objet est réfléchi ou non réfléchi.

À la 3e personne du singulier (objet direct), **ll'** est prononcé avec un double [ll] chaque fois que c'est possible : **i ll'a dit** [i l-la di] (cf. **i ll' vot** [ilvo]).

Au pluriel, **nos, vos, leus** se prononcent en faisant la liaison en [z] devant voyelle.

La forme de la 3e personne du pluriel (objet direct) est **lzé** devant consonne, **lz'** devant voyelle. Exemples : **I lzé vo** → *Il les voit.* **I lz'acate** → *Il les achète.*

3 Remplacez les mots soulignés par un pronom personnel objet.

a. I conot **chl'ome-là** → ....

b. I faut comprinde **tous ches mots** → ....

c. Zélie a' n' sait pon faire **l' flamike** → ....

d. In acate **ches watiaus** pou Paque → ....

e. T'as vu **min mononke** ? → ....

Les séquences de mots outils non vocaliques

Il s'agit des mots constitués uniquement d'une ou deux consonnes, sans voyelle, comme les pronoms personnels **j'**, *je*, **m'**, *me*, **t'**, *te*, **ll'**, *le/la*, **lz'**, *les*, et la négation **n'**, *ne (pas)*.

Lorsque deux ou trois de ces mots se suivent dans une phrase, la forme pleine (**je**, **me**, **te**, **lle**, **ne**) peut réapparaître pour éviter une succession de consonnes difficile à prononcer. Exemple : **Je n' di rin** ➜ *Je ne dis rien.*

La voyelle notée « **e** » se prononce dans ces mots [eu] ou [é] : [jeun'di rin] ou [jén'di rin].

4 **Mettez les verbes à la forme négative (*n'... pon*).**

a. J'atin apré ch' caraban d' dij eures. ➜ ....

b. J' cache apré min kien. ➜ ....

c. Te viens m' vir à l'ermontée. ➜ ....

d. S' carète ale est vièle. ➜ ....

Banque de mots

ses ans	*son anniversaire*
bistoker	*offrir un cadeau à (pour une fête, un anniversaire, etc.)*
bailler (j' bale, os baillons)	*donner*
amoutrer (j'amoute, os amoutrons)	*montrer*
dérinviller (j' dérinviè le, os dérinvillons)	*réveiller*
ch' bistocache	*le cadeau*

La fête foraine (l' ducasse)

ch' rougaillou	le manège
l' balonchoire	la balançoire
ch' tirlibibi	la loterie
ch' tirloteus	celui qui tient la loterie
ch' baraqueus	le forain
ches cruncannes russes	les montagnes russes
l' pèke à z-anètes	la pêche aux canards
ch' bradeus	le vendeur sur la braderie
ch' gaïant	le géant processionnel

5 L' ducasse désigne au propre la fête patronale du village (de « dédicace »). Trouvez l'équivalent en français des proverbes et expressions suivants.

a. Chti qu'i va à l' ducasse, i piert s' plache ! → ....

b. I n'est pon toudi à l' ducasse ! → ....

c. Pon d' ducasse sins fricasse ! → ....

6 Répondez positivement aux questions suivantes.
Exemple : *I t' acate in live ? — Awi, i m'acate in live.*

a. Te m' fais à minger ?

Awi, ...

b. Te nos invites pou tes ans ?

Awi, ...

c. Ch' tirloteus i vos bale ene péluche ?

Awi, ...

d. Ch' bradeus i ll' vint pou chonc euros ?

Awi, ...

7 Dans la grille suivante, trouvez les attractions foraines où Zef est allé s'amuser. Les lettres restantes permettent d'écrire le lot qu'il a gagné à la loterie.

C	R	U	N	C	A	N	N	E	S
R	U	S	S	E	S	P	L	A	N
K	E	R	O	U	G	A	I	L	L
O	U	A	T	I	R	L	I	B	I
B	I	P	E	K	E	A	Z	A	N
E	T	E	S	R	E	U	L	E	S
K	V	A	U	S	D	B	O	B	A
L	O	N	C	H	O	I	R	E	S

Réponse :

ene _ _ _ _ _ _

_ _ _ _ _ _ _.

Les pronoms personnels toniques sujets ou avec préposition

	Singulier	Pluriel
1re personne	**mi**, *moi*	**nous**, *nous*
2e personne	**ti**, *toi*	**vous**, *vous*
3e personne	**li**, *lui* ou *elle* ou *soi*	**eusses**, *eux* ou *elles*

Ces formes sont employées :

- en position détachée, pour mettre en évidence la personne.
  Exemples : **Mi, j' di cha** → *Moi, je dis ça.* **Ch'est mi** → *C'est moi* ;

- avec une préposition. Exemple : **aveuc mi**, *avec moi*.

Elles peuvent être précisées par **-meme**, comme en français : **mi-meme, ti-meme, li-meme...**

Nous et **vous** sont souvent renforcés par **-autes** : **nous-autes, vous-autes**. Cet usage est également possible avec **mi** et **ti** : **mi-z-aute, ti-z-aute.**

À la 3e personne du singulier, **li** et **eusses** sont utilisés pour les deux genres. Néanmoins, on peut aussi dire au féminin **èle(s)** : **Li, ale cante bin** → **Èle, ale cante bin** → *Elle, elle chante bien.*

Li est aussi utilisé comme pronom personnel tonique réfléchi (*soi*) : **ouvrer pour li**, *travailler pour soi* (ou : *pour lui, pour elle*).

8 **Complétez les réponses aux questions, en reprenant le verbe et en le mettant à la forme réfléchie. Exemple :** *Te veus qu' j'aboutone tin mantiau ?*
— Nan, j' m'aboutone mi-meme.

a. J' vos dérinvièle à uit eures au matin ? – Nan, os .... tout seu.

b. Te nos fais in café ? – Nan, os .... vo café vous-meme.

c. Te veus qu' je t' perzinte à chl'ingénieus ? – Nan, je .... mi-meme.

d. I li acate ses marones ? – Nan, i .... ses marones li-meme.

e. Leu mère ale leus raconte d's istoires ? – Nan, is .... d's istoires eusses-meme.

9 **Répondez aux questions selon l'exemple, en utilisant les formes renforcées des pronoms personnels toniques. Exemple :** *Mes parints is s' déjouktte à sij eures au matin. Pi vous ?*
(7h) *— Nous-autes os s' déjoukons à siet eures.*

a. Mi j' bos du café quate caups par jour. Pi ti ?

(5x) – ....

b. No fiu i dène à l' cantine. Pi nous ?

(à vo mason) – ....

c. M' seur ale va juer à l' balonchoire. Pi mi ?

(à l' pèke à z-anètes) – ....

d. Os alons in vagances à Berk. Pi vous ?

(au Touquet) – ....

Les pronoms personnels toniques objets

Les formes suivantes sont utilisées uniquement après un verbe à l'impératif pour exprimer l'objet direct ou indirect.

		Singulier	Pluriel
1re personne		**mme**, *moi*	**nous**, *nous*
2e personne		**tte**, *toi*	**vous**, *vous*
3e personne	objet direct	**lle**, *le* ou *la*	**Izé**, *les*
	objet indirect	**li** ou **zi**, *lui*	**leus**, *leur*

Cette série n'existe pas en français, où elle se confond avec la précédente.
- En français : *Dis-moi à moi.*
- En picard : **Di-mme à mi.**

À la place de **mme**, **tte**, **lle** on peut aussi utiliser les formes atones :
- **Di-mme** ➜ **di-m'** ➜ *dis-moi*
- **Méfie-tte** ➜ **méfie-t'** ➜ *méfie-toi*
- **Di-lle** ➜ **di-ll'** ➜ *dis-le* ou *dis-la*

 **Traduisez les phrases suivantes.**

a. Donne-moi le sel ! ➜ ....

b. Regarde-toi dans le miroir ! ➜ ....

c. Prends-le avec toi ! ➜ ....

d. Réveillez-vous ! ➜ ....

e. Présente-leur tes parents ! ➜ ....

 Entourez la forme correcte du pronom.

a. Va vir ch' tirloteus pi dmande- … quo qu' t'as ganié. 1. li 2. lle

b. Cola i a ses ans, bistoke- … . 1. li 2. lle

c. Is ont ker ches cruncannes russes, fai- … faire in tour. 1. Izé 2. leu

d. À l' bradrie, quand qu' te vos des bièlés rabillures, acate- … tout d' suite ! 1. Izé 2. leu

Succession de deux pronoms personnels objets (direct et indirect)

À l'impératif, l'ordre des pronoms personnels est inversé par rapport au français :
- En français : *Dis-le-moi.*
- En picard : **Di-me-lle** ou **di-me-ll'**.

12 **Remplacez les compléments d'objet direct et indirect par des pronoms personnels.**
Exemple : *Raconte-me t'n istoire !* → *Raconte-me-lle !* → **Raconte-la-moi !**

a. Amoute l' balonchoire à ch' tiot.

→ .... → ....

b. Di-mme quo qu' t'as ganié à ch' tirlibibi.

→ .... → ....

c. Bale à tin cousse in bistocache pou ses ans.

→ .... → ....

d. Dessine-me ch' gaïant d' Doï.

→ .... → ....

13 **Traduisez en français et mémorisez le début du poème « Pronoms picards »**
de Daniel Carlier (publié dans *Ichi Douai... tout l' monte déquind !* **2002)**

Mi, ti, li, nous-autes et pi eusses, ...

Ch'est des tiots mots qu'in dit souvint, ...

Et qu' tout l' monde din l' région comprint, ...

Ed l'Avesnois squ'à Ambleteusse.   ....

Proficiat ! (Félicitations!) Vous êtes venu(e) à bout du chapitre 13! Il est maintenant temps de comptabiliser les icônes et de reporter le résultat en page 128 pour l'évaluation finale.

14

Les indéfinis

Les deux séries d'indéfinis

Il existe en picard deux séries concurrentes de pronoms, adjectifs et adverbes indéfinis :

- l'une formée à partir de **quèque**, *quelque*, comme en français. Exemples : **quèque cose, quécun** ;
- l'autre formée à partir de **ene sé-** + mot interrogatif. Exemples : **ene séquo, ene séqui** (que l'on peut interpréter comme « on ne sait quoi », « on ne sait qui »).

Français	Série **quèque...**	Série **ene sé-...**
quelques (une certaine quantité de)	**quèques**	**in séquant**
quelque chose	**quèque cose**	**ene séquo**
quelqu'un	**quécun**	**ene séqui**
quelque part	**quèque part**	**ene séchu**

Remarque : in séquant, *quelques*, s'analyse comme « on ne sait combien », car **quant** est une forme ancienne signifiant « combien ». À la place, on peut aussi utiliser les formes simples **séquants**, **séquantes** qui s'accordent comme un adjectif.

I Les lettres sont mélangées... Réécrivez correctement les indéfinis suivants.

a. EEÉOUNSQ ....
c. AEÈUUPQQRT ....
b. CÉUUNQ ....
d. CNHSUEEÉ ....

2 Dans les phrases suivantes, remplacez les indéfinis de la série *quèque...* par ceux de la série *ene sé-...* qui correspondent.

a. Acate-me quèque cose d' biau !

→ ....

b. J' ne ll' treuve pon, i est muché quèque part.

→ ....

c. Ny-a quécun qu'i veut t' vir.

→ ....

d. In va faire quèques exercices d' gramaire. (deux réponses)

→ ....

→ ....

Autres pronoms et adjectifs indéfinis

nu, nule ou **pon un, pon eune**	*aucun, -e*
persone ou **nulu**	*personne*
nurvar	*nulle part*
rin	*rien*
dauques-uns, -eunes [dokzun, dokzin-n']	*certains, -es*
chaque	*chaque* (adj.) et *chacun, -e* (pronom)
chacun, chaqueune	*chacun, -e*
pusieurs, -es	*plusieurs, -es*
ny-a pon d' danger quo	*n'importe quoi*

3 **Répondez aux questions par la négative.**
Exemple : *Te vos quèque cose ? – Nan, je n' vo rin.*

a. T'intins ene séquo ? – Nan, ...

b. J' cono quécun ichi ? – Nan, ... (deux possibilités)

c. Mes cauchètes is sont ene séchu ? – Nan, ...

d. Os pinsez à quèque cose ? – Nan, ...

Les animaux

Ch' pourchau	*le cochon*		**Chl' ojau**	*l'oiseau*
L' glène	*la poule*		**Ch' baudet**	*l'âne*
Ch' co	*le coq*		**L' maguète**	*la chèvre*
Ch' pouchin	*le poussin*		**L' berbi**	*la brebis*
Chl'anète (fém.)	*le canard*		**L' mouke**	*la mouche*
Ch' codin	*le dindon*		**Chl'étave**	*l'étable*
L' pourdène	*la dinde*		**Jou qu' … ?**	*Est-ce que… ?*
Chl'ojon (masc.)	*l'oie*			
Ch' lapin	*le lapin*			

Mots croisés illustrés.

1.	6.
2.	7.
3.	8.
4.	9.
5.	10.

5 **Complétez les expressions chtis (1ʳᵉ colonne) avec les noms d'animaux (2ᵉ colonne) et trouvez l'expression française exprimant la même chose (3ᵉ colonne).**

a. Ch' … i est din l'orloge. •

• 1. kien •

• A. Il ne sait rien faire de ses dix doigts.

b. I est adrot d' ses mains come ene … de s' queue. •

• 2. ojau •

• B. Il y a de l'eau dans le gaz.

c. I vaut miu avoir in … din s' main qu' deus dsu l'aïure. •

• 3. vake •

• C. Tout vient à point à qui sait attendre.

d. L' queue d' no … ale est bien vnu. •

• 4. cat •

• D. Un « tiens » vaut mieux que deux « tu l'auras ».

6 Dans la grille suivante, trouvez les noms d'animaux que vous connaissez. Les lettres restantes permettent d'écrire le nom de la « pie » en picard.

Réponse : _ _ _ _ _ _ _

A	P	O	U	R	D	È	N	E	M
O	U	K	E	G	L	A	P	I	N
O	J	O	N	A	A	N	È	T	E
C	V	A	K	E	M	A	G	U	È
T	E	H	B	A	U	D	E	T	E

Tout, toute, tous

Ces mots se traduisent différemment selon leur nature et leur fonction.

Tertous = *tous* ou *toutes* (pronom indéfini pluriel, masculin ou féminin) ; *tout le monde* (accord au singulier).
Exemples :
- **Is sont là tertous** → *Ils sont tous* (ou *toutes*) *là* (pluriel).
- **Tertous i est là** → *Tout le monde est là* (singulier).
- **Adé tertous !** → *Au revoir tout le monde !*

Toute = *tout* (pronom indéfini singulier).
Exemples :
- **Toute i est bon** → *Tout est bon.*
- **I a mingé toute** → *Il a tout mangé.*

Tout = *tout/toute* (adjectif indéfini). Il reste invariable au féminin.
Le pluriel est *tous, tous/toutes*.
Exemples :
- **I a chiflé tout l' boutèle** → *Il a sifflé (bu) toute la bouteille.*
- **I a chiflé tous ches boutèles** → *Il a sifflé (bu) toutes les bouteilles.*

Fin = *tout* (adverbe), *tout à fait, complètement.*
Exemple : **T'es fin biau** → *Tu es tout beau.*

Pon ene buke, *pas du tout* ; **pu ene buke**, *plus du tout.*

7 Remplacez les points par la forme correcte de *tout / tous* adjectif.

a. .... ches pouchins.

b. .... ches vakes.

c. .... ch' troupiau.

d. .... l' mason.

e. .... chl'étave.

8 Remplacez les points par la forme correcte *toute* ou *tertous/tertoute*, pronoms.

a. À Lile, ... i est ker.

b. Is sont .... d' Valinchène.

c. Jou qu' te conos tes vigins ?

– Nan, pon ....

d. Ny-a pu d' pain, i a mingé ....

e. Ches femes-là is sont ....
inginieuses.

9 Répondez aux questions en suivant le modèle.
Exemple : *Jou qu' tous ches gins is sont là ? – Awi, is sont tertous là.*

a. Jou qu' tous ches cos is cantte ? – Awi, ...

b. Jou qu' par nuit tous ches cats is sont gris ? – Awi, ...

c. Jou qu' tous ches watiaus is sont au chucolat ? – Awi, ...

d. Jou qu' tous ches télètes is sont brigées ? – Awi, ...

10 Traduisez les phrases suivantes.

a. Tout le monde veut manger à l'estaminet.

➜ ....

b. Tout est bon dans le cochon.

➜ ....

c. Tous connaissent ce chanteur.

➜ ....

d. Il faut un peu de tout.

➜ ....

e. Mets toutes les pommes dans la tarte.

➜ ....

11 Complétez les phrases avec les mots suivants :

FIN   ENE BUKE   TOUT

a. .... chti qu'i écrit i tient sn'estilo din s' main.

b. Zef i est .... hard, i euve timpe et tard.

c. J' n'ai pu .... d'argint din min porte-monoé.

d. .... chan qu'i mile cha n'est pon du dor.

12 Traduisez en français les phrases de l'exercice précédent.

a. ....

b. ....

c. ....

d. ....

13 Reliez les noms des animaux aux actions qu'ils effectuent.

a. Ch'co   b. Ch' cat   c. Ch' kien   d. L' vake   e. Ch' baudet

1. ale beule   2. i mianne   3. i cante   4. i ricane   5. i abaie

Proficiat ! (Félicitations !) Vous êtes venu(e) à bout du chapitre 14 ! Il est maintenant temps de comptabiliser les icônes et de reporter le résultat en page 128 pour l'évaluation finale.

15

Donner un ordre, un conseil, exprimer une recommandation

L'impératif

C'est le mode verbal exprimant l'ordre ou le conseil. On l'exprime, comme en français, à l'aide des formes du présent de l'indicatif (2ᵉ personne du singulier, 1ʳᵉ et 2ᵉ personnes du pluriel) utilisées sans pronom personnel. Particularité orthographique : la 2ᵉ personne du singulier s'écrit sans **s**, quel que soit le groupe du verbe.

Minge ! *Mange !*   **Fini !** *Finis !*
Minjons ! *Mangeons !*   **Finichons !** *Finissons !*
Mingez ! *Mangez !*   **Finichez !** *Finissez !*

Formes irrégulières de l'impératif :
• Être : **seuche, seuchons, seuchez** → *sois, soyons, soyez*
• Avoir : **euche, euchons, euchez** → *aie, ayons, ayez*

À ces exceptions, on peut ajouter le verbe *aller* qui, à l'impératif, emprunte des formes au verbe *marcher* : **marche, marchons, marchez** → *va, allons, allez*.

Contrairement au français, **faire** est régulier : **fai, faijons, faigez** → *fais, faisons, faites*.

Verbes réfléchis : **abile-t', abillons-nous, abillez-vous** → *habille-toi, habillons-nous, habillez-vous* (voir au chapitre 13 les pronoms personnels toniques objets).

I   Formez les 3 formes de l'impératif des verbes suivants.

a. raviser   → .... ! .... ! .... !

b. ouvrer   → .... ! .... ! .... !

c. déchinde   → .... ! .... ! .... !

d. s' mucher   → .... ! .... ! .... !

e. ête   → .... ! .... ! .... !

f. aler   → .... ! .... ! .... !

Banque de mots

croire (j' cro, os créïons)	croire		
dvoir (j' do, os dvons)	devoir		
fauloir (faut, faurot...)	falloir (il faut, il faudrait...)	lomint	longtemps
Faut miu	Il vaut mieux	fremer	fermer
l' gaïole	la cage	brouser	salir
ch' bure	le beurre	sans te kmander	s'il te plaît
aglaver d' so	mourir de soif (avoir très soif)	sans vos kmander	s'il vous plaît
		Tincion !	Attention !
		ch' parapleuve	le parapluie

2 Transformez les phrases en utilisant la 2ᵉ personne du pluriel de l'impératif, comme dans l'exemple : *Ches glènes is dotte rintrer → Faigez rintrer ches glènes.*

a. Ches alieves is dotte parler → ....

b. Ches kvaus is dotte keurir → ....

c. Chl'ojau i dot ervénir din s' gaïole → ....

d. Ch' bure i dot fonde → ....

3 Imaginez la suite de la phrase en utilisant l'expression indiquée entre parenthèses, à l'impératif. Exemple : *Zef i aglave d' so (bailler d' l'iau) → Bale-li d' l'iau.*

a. Cha fait lomint qu'i n' pleut pon (arouser ch' gardin)

→ ....

b. J'ai perdu min portéfeule (cacher apré)

→ ....

c. I fait frod (fremer l' ferniète)

→ ....

d. Tes cauchures is sont brousées (lzé nétier)

→ ....

Le subjonctif

Les valeurs du subjonctif sont à peu près les mêmes qu'en français.

- Dans une proposition indépendante ou principale, il sert à exprimer un ordre, une défense, un souhait : **Qu'i vienche !** → *Qu'il vienne !*

- Le subjonctif s'emploie aussi dans une proposition subordonnée conjonctive quand le verbe de la principale exprime, notamment, la volonté, le doute, la crainte : **J' veu qu'i vienche** → *Je veux qu'il vienne.*

- Il existe néanmoins une différence avec le français quand le verbe de la principale est au conditionnel : dans ce cas, le verbe de la proposition subordonnée conjonctive est également au conditionnel. Exemple : **J' voro qu'i varot** → *Je voudrais qu'il vienne.*

Les formes du subjonctif

Le picard se distingue du français par la formation du subjonctif. Une règle générale et deux exceptions permettent de construire toutes les formes.

Règle générale :
Le subjonctif présent se construit en ajoutant la désinence **-che** aux formes de l'indicatif présent.

Exception 1 :
À la 3e personne du pluriel, la désinence **-ch-** est insérée avant la désinence **-tte**.

Exception 2 :
Si la forme de l'indicatif se termine par une consonne autre que « r » ou « l », la désinence **-che** est omise.

Exemples :

Vnir, *venir*		Acater, *acheter*	
Indicatif présent	Subjonctif présent	Indicatif présent	Subjonctif présent
j' vien	que j' vienche	j'acate	qu' j'acate
te viens	qu' te vienche	t'acates	qu' t'acates
i vient	qu'i vienche	i acate	qu'i acate
os vnons	qu'os vnonche	os acatons	qu'os acatonche
os vnez	qu'os vnèche	os acatez	qu'os acatèche
is vientte	qu'is vienchtte	is acatte	qu'is acatte

Les formes irrégulières :

Être : **que j' seuche, qu' te seuche, qu'i seuche, qu'os seuchonche, qu'os seuchèche, qu'is seuchtte.**

Avoir : **qu' j'euche, qu' t'euche, qu'i euche, qu'os euchonche, qu'os euchèche, qu'is euchtte.**

Le présent est le seul temps usité au subjonctif (bien qu'il existe un subjonctif imparfait, aujourd'hui à peu près disparu).

4 Conjuguez au subjonctif les verbes suivants.

a. nétier	b. dvoir	c. aler
que j'	que j'	que j' ....
qu' te	qu' te	qu' te ....
qu'i	qu'i	qu'i ....
qu'os	qu'os	qu'os ....
qu'os	qu'os	qu'os ....
qu'is	qu'is	qu'is ....

d. aleumer	e. parler
que j'	que j' ....
qu' te	qu' te ....
qu'i	qu'i ....
qu'os	qu'os ....
qu'os	qu'os ....
qu'is	qu'is ....

5 **Transformez les phrases en remplaçant les verbes à l'impératif par des subjonctifs.**
Exemple : *Passez m' vir dmain !* → *J' veu qu'os passèche m' vir dmain.*

a. Baillez-m' vo louchet ! → J' veu qu' ....

b. Étindez l' leumière dvant sortir ! → J' veu qu' ....

c. Di-mme quo qu' t'in pinses ! → J' veu qu' ....

d. Seuche bénache ! → J' veu qu' ....

e. Cante-m' ene canchon ! → J' veu qu' ....

Le conditionnel

Comme en français, le mode conditionnel exprime une action ou un état qui dépendent, pour leur réalisation, de certaines conditions. Il existe aussi des valeurs particulières : un fait imaginé, une supposition, un souhait, l'incertitude, etc.

Le verbe de la proposition subordonnée de condition (introduite par **si qu'**) se met au conditionnel (alors qu'en français, on doit utiliser l'indicatif) :
Si qu' j'aro <u>seu</u> j'aro pon vnu → *Si j'avais su, je ne serais pas venu.*

Les formes du conditionnel présent se construisent généralement selon le modèle : radical (en principe inaccentué) + infixe **-r-** + désinence personnelle (singulier 1. **-o** 2. **-os** 3. **-ot**, pluriel 1. **-ome** 2. **-ote** 3. **-otte**).

Exemples :
acater, *acheter* (radical unique **acat-**)
j'acatro, t'acatros, i acatrot, os acatrome, os acatrote, is acatrotte → *j'achèterais*, etc.

vinde, *vendre* (radical inaccentué **vind-**)
j' vindro, te vindros, i vindrot, os vindrome, os vindrote, is vindrotte → *je vendrais*, etc.

finir, *finir* (radical inaccentué **finich-**)
j' finichro, te finichros, i finichrot, os finichrome, os finichrote, is finichrotte → je *finirais*, etc.

vir, *voir* (radical inaccentué **vé(ï)-**)
j' véro, te véros, i vérot, os vérome, os vérote, is vérotte → *je verrais*, etc.

vnir, *venir* (radical inaccentué **v(e)n-**)
j' vènro, *je viendrais*, etc. Souvent modifié en **j' vinro** (nasalisation), **j' véro** ou **j' varo** (simplification du groupe de consonnes).

Exceptions :
- **ête**, *être* → **j' sro** → *je serais*
- **avoir** → **j'aro** → *j'aurais*
- **aler** → **j'iro** → *j'irais*

Certains verbes dont l'infinitif est en **-ir** forment leur conditionnel présent en **-ir-o**, etc. Cela concerne :
- les verbes du 3e groupe sauf **vir**, **vnir** : **j' mintiro**, *je mentirais*, **j' sintiro**, *je sentirais*, etc. ;
- les verbes du 2e groupe, pour lesquels on a le choix entre cette forme (**j' finiro**) et la forme régulière donnée plus haut (**j' finichro**).

Les verbes dont l'infinitif est en **-voir** forment leur conditionnel présent en **-varo** :
- **truvoir**, *trouver* → **j' truvaro**, *je trouverais*
- **archuvoir**, *recevoir* → **j'archuvaro**, *je recevrais*

Le conditionnel passé se forme à l'aide de l'auxiliaire **avoir** au conditionnel, et du participe passé du verbe. Exemple : **J'aro volu** → *J'aurais voulu.*

6 Conjuguez au conditionnel présent les verbes suivants.

a. nétier	b. dvoir	c. aler	d. truvoir
j'	j'	j'	j' ....
te	te	t'	te ....
i	i	i	i ....
os	os	os	os ....
os	os	os	os ....
is	is	is	is ....

7 Reliez chaque début d'énoncé à la fin qui lui correspond.

1. Te fros miu •
2. J'aro pu ker qu' •
3. Sans te kmander, •
4. Faut miu qu' •
5. Te poros •

• **a.** rimplir t' berouète aveuc du fien.
• **b.** marche m'acater ene boutèle de Chtichi-Cola !
• **c.** te fouiche tin gardin.
• **d.** te pasros l' wassingue.
• **e.** d' rintrer à t' mason.

105

8 Traduisez les phrases suivantes.

a. S'il pleuvait, je prendrais mon parapluie.

→ ....

b. S'il faisait beau, nous nous promènerions.

→ ....

c. Je préférerais qu'il fasse du soleil.

→ ....

9 Dans le poème « L' nigaud vier e-d' tière » de Joëlle Jonas, soulignez les verbes au conditionnel.

L' vier cominche à avoir caud.

« – J'aro dû acouter m' feme

Et raviser l' météo.

J' su chi in train d' m'arséker,

J' donero m' piau pou ene goute d'iau ! »

Eureuzmint, vla l' pleuve qu'i arive,

Les couleurs du vier s' raviv(tt)e.

« – Achteure que me vla tout cru,

Faut qu' j'arparte dù ç'que j' su vnu !

J'aro su qu' cha srot si long,

J'aro resté à m' mason ! »

(extrait de *Cache après l' tiote biète*, éditions Nord Avril, 2010).

Proficiat ! (Félicitations !) Vous êtes venu(e) à bout du chapitre 15 ! Il est maintenant temps de comptabiliser les icônes et de reporter le résultat en page 128 pour l'évaluation finale.

Exprimer des événements passés

La conjugaison de l'imparfait

L'imparfait de l'indicatif se forme en ajoutant au radical inaccentué des verbes les désinences suivantes :
- singulier 1. **-o** 2. **-os** 3. **-ot**
- pluriel 1. **-ome** 2. **-ote** 3. **-otte**

Au singulier, les trois formes se prononcent [o] : le **s** et le **t** sont muets (remarquez l'absence de lettre muette à la 1re personne du singulier, conformément à la règle de l'orthographe Feller-Carton).

Exemples :

acater, *acheter*	finir, *finir*	vinde, *vendre*
j'acato	j' finicho	j' vindo
t'acatos	te finichos	te vindos
i acatot, ale acatot	i finichot, ale finichot	i vindot, ale vindot
os acatome	os finichome	os vindome
os acatote	os finichote	os vindote
is acatotte	is finichotte	is vindotte

Le verbe **ête** fait à l'imparfait **j'éto**, **t'étos**, **i étot**, etc. (on peut aussi dire **j' to**, **te tos**, **i tot**…).

I Dans le texte suivant (extrait du poème « Hiver » de Théophile Denis), repérez les verbes à l'imparfait, puis traduisez le texte en français.

Pou finir leu journée, varlets, mékènes et moaites

Avotte, avant d' souper, à s'ocuper d' ches biètes ;

I falot réternir et rafourer ches kvaus ;

In alot traire ches vakes ; in abruvot ches viaus ;

Un rkeuillot l's eus partout, dins ch' poulier, dins chl'étabe…

Tout cha fait, in rintrot à l' mason s' mette à tabe.

Banque de mots

ch' varlet	le valet de ferme
l' mékène	la servante
réternir (j'réterni, os réternichons)	faire la litière
rafourer	nourrir, donner du fourrage
ch' poulier	le poulailler

....
....
....
....
....

2 Conjuguez les verbes à l'imparfait de l'indicatif.

a. aidier (j'aide, os aidions), *aider*

➜ ....

b. aringuir (j'aringui, os aringuichons), *mettre en rang*

➜ ....

c. dire (j' di, os dijons), *dire*

➜ ....

d. savoir (j' sai, os savons), *savoir*

➜ ....

e. conoite (j' cono, os conichons), *connaître*

➜ ....

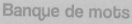

Banque de mots

caufouré	accablé de chaleur
au tans d'adon	jadis

3 **Complétez les phrases en reprenant le verbe à l'imparfait.** ● ●

a. Achteure j'euve à l' fabrique. Dvant j' .... à l' boulingrie.

b. Aujordui is sont Amiens. Aïer is .... à Lile. *(2 réponses possibles)*

c. Chl'été-chi os mettez in cotron. L'ivier passé os .... ene marone.

d. Diminche os alons au téïate. Dvant os y .... souvint.

4 **À l'aide des éléments donnés ci-dessous, décrivez le temps qu'il faisait hier et avant-hier** ● ●
(Queu tans qu'i faijot aïer ? Queu tans qu'i faijot advanzier ?)

  a. aïer : frod • vint • pluvoir

....

 b. advanzier : caud • solé • caufouré

....

Le passé composé

En chti, le passé composé se conjugue normalement toujours avec l'auxiliaire **avoir**, y compris pour les verbes pronominaux et ceux qui se conjuguent en français avec « être ». Il existe quelques exceptions, en particulier le verbe **naite**.

Exemples :
J' m'ai débrousé → *Je me suis lavé.*
Ale a keu → *Elle est tombée.*
Mais **Ale est né in 1971** → *Elle est née en 1971.*

La conjugaison est donc dans la plupart des cas : **j'ai, t'as, i a / ale a, os avons, os avez, is ont** + participe passé du verbe. Celui-ci reste invariable (pas de problème d'accord du participe passé en chti !).

Le passé composé a les mêmes valeurs qu'en français. Il remplace le passé simple comme temps du récit : **Is s'ont marié, is ont vi bénaches pi is ont ieu gramint d'éfants** → *Ils se marièrent, vécurent heureux et eurent beaucoup d'enfants.*

5 **Dans les phrases suivantes, repérez les verbes conjugués au passé composé.**

a. Quand qu'i a ervénu, ale étot in route à diner.

b. J'aro bin volu l' rincontrer, mais li i n'a pon volu.

c. Is n'ont jamais té à Paris, margré qu'is avotte ker à voïager.

d. J'ai écrit ene lète à mononke Jule pou li dire que j' vènro bétot l' vir.

e. Te cros qu'i a acaté ch' bure ?

Les formes du participe passé

Pour former le participe passé, on ajoute les désinences suivantes au radical inaccentué :
- **-é** pour les verbes du 1er groupe (dont l'infinitif est en **-er**) : **acater → acaté** ;
- **-i** pour les verbes du 2e groupe (dont l'infinitif est en **-ir** et le radical faible en **-ich-**) : **finir → fini**.

Pour les verbes du 3e groupe, la désinence peut être **-u** ou **-i** ou **-Ø** (désinence zéro). Il faut donc l'apprendre pour chaque verbe, mais la plupart du temps, c'est la même que dans l'équivalent français. Exemples :

déchinde → déchindu, *descendu*   **faire → fait**
partir → parti   **truvoir → truvé**, *trouvé*

Attention cependant aux exceptions, aux formes sans équivalent en français, aux formes multiples. Voici quelques formes fréquentes :
dvoir → dvé, *dû*
keir → kéü / keu / ket, *tombé (chu)*
keude → keut / keudu, *cousu*
keuiller → keuillé, *cueilli*
lire → li, *lu*
morir → moru, *mort*
moude → mout, *trait*
osoir → osu, *osé*
plaire → plait, *plu*
poïoir → poïu, peu, *pu*
prinde → prins, *pris* (et les dérivés : **erprinde, aprinde, comprinde**)
sintir → sintu, *senti*
vive → vi, *vécu*

6 Conjuguez les verbes suivants au passé composé.

a. fremer ....

b. s'abiller ....

c. comprinde ....

d. truvoir ....

e. keir ....

7 Dites ce que chacun a fait hier (en utilisant le passé composé).

• CANTER ENE CANCHON • JUER AU FOTBAL • MINGER DES GLACHES •
• OUVRER TOUT L' JORNÉE • S' DÉBROUSER • S' JOUKER TIMPE •

a. Is ....

b. Ale ....

c. Te ....

d. Os ....

e. J' ....

f. Is ....

8 **Traduisez les phrases, en vous inspirant du texte de l'exercice 1.** ● ●

a. Le valet de ferme s'est occupé des bêtes.

→ ....

b. La servante a ramassé les œufs dans le poulailler.

→ ....

c. Ils sont rentrés à la maison et se sont mis à table.

→ ....

9 **Classez les expressions selon qu'elles se rapportent au présent ou au passé.** ● ●

a. achteure   c. l'énée passée   e. in ch' momint-chi

b. advanzier   d. énui   f. au tans d'adon

PRÉSENT	PASSÉ

10 **Qui sont les personnages historiques liés aux Hauts-de-France décrits ci-dessous ?** ● ●

a. I est né à Lile l' 22 d' novimbe 1890. Pindant l' 2e guère i a té ch'chef del France libe à Londe. I a té perzidint d'la République d' 1959 à 1969.

....

b. Ch'étot ene écriveuse francèse, quand qu'ale étot tiote ale a vi à Lile pi au Noirt Mont din ches Flande. Ale a té l' preme blanc-bonet mimbe d'l'Académie Francèse.

....

c. Ch'est ene canteuse pi ene acteuse, ale a vnu célèbe à Las Vegas, in l'aplot « l' demoiselle d'Armintire ». Ale a jué din des films Dany Boon.

....

d. Ch'est in jueus d' fotbal, i est né in 1983 à Boulone. I a jué à l'Olimpique d' Marsèle pi à Munic, pi din l'équipe d' France.

Proficiat ! (Félicitations !) Vous êtes venu(e) à bout du chapitre 16 ! Il est maintenant temps de comptabiliser les icônes et de reporter le résultat en page 128 pour l'évaluation finale.

Parler du temps qu'il fait – Le futur

À propos du temps

Le mot « temps » se prononce de la même façon en français et en chti, mais on l'écrit « **tans** » suivant les règles de la graphie Feller-Carton (voir chapitre 1). Cette forme était d'ailleurs habituelle dans les textes picards du Moyen Âge.

Comme en français, **l' tans** désigne aussi bien le temps qu'il fait (la pluie, le beau temps…) que le temps qui passe (un jour, un an…). Mais, en chti, le mot désigne aussi *le ciel*, comme dans la phrase :
L' tans i est baré ➜ *Le ciel est rempli de barres nuageuses.*

Utilisé sans davantage de précision, **du tans** désigne le *mauvais temps* :
Os alons ravoir du tans ➜ *Nous allons encore avoir du mauvais temps.*

Avec **tans**, qui désigne une notion abstraite, on utilise normalement l'article général (voir chapitre 6) : **l' tans, du tans**.

Dans l'expression « de temps en temps », les deux occurrences du mot ont une prononciation différente : **d' tins in tans** [ᵉᵘd-tin-z-in-tan].

Autre expression à noter : **Tans non tans**, *par n'importe quel temps*, « *qu'il pleuve ou qu'il vente* ».

Banque de mots

étlé	*étoilé*	**espérer (j'espoire, os espérons)**	*espérer*
solant	*turbulent*		
bisir (j' bisi, os bisichons)	*bronzer*	**ches loques d' bain**	*le maillot de bain*
		bétot	*bientôt*
roblier	*oublier*	**loïer**	*attacher, lier*

1 **Dans les phrases suivantes, quelle est la valeur du mot *tans* ? Cochez la case correspondante.**

	le temps qu'il fait	le temps qui passe	le ciel
a. Pindant ch' tans-là j' va quère des peumétères.	☐	☐	☐
b. Ch' tans i est étlé.	☐	☐	☐
c. Aujordui i fait in tans d' kien.	☐	☐	☐
d. Din l' tans ches éfants is n'étotte pon si solants qu'énui.	☐	☐	☐
e. Ch' tans i est à l'ernu	☐	☐	☐

2 **Quel est l'intrus ? Parmi les expressions suivantes, l'une fait exception. Laquelle et pourquoi ?**

a. D' tins in tans

b. Tout l' tans

c. Tant pour autant

d. Tans non tans

e. Au tans d'adon

Parler de la pluie (et un peu du beau temps)

Le picard est une langue concrète, adaptée à son environnement. Rien d'étonnant donc, quand on connaît la réputation du Nord, à ce qu'il existe en chti de nombreux mots pour désigner la pluie sous ses différentes formes...

En plus du nom générique **l' pleuve**, *la pluie*, et du verbe **pluvoir (i pleut)**, *pleuvoir*, il peut être utile de connaître les mots suivants :
dracher, *faire une averse*
pluvoir à dake ou **à dike à dake**, *pleuvoir à verse*
l' berdoule, *la boue liquide*
ches rakes (pluriel), *la boue solide*
au co, *à l'abri de la pluie*
au rado, *à l'abri du vent*

Ne pas confondre :
i fait frèke, *il fait humide*
i fait frèche, *il fait frais*

3 Complétez la question qui signifie « quel temps fait-il ? », et répondez en fonction de l'image.

Question : Queu .... qu'i .... ?

Réponses :

a. ....

b. ....

c. ....

d. ....

4 Cochez le mot qui convient dans chacune des phrases.

a. Quand qu'i drache faut s' mette au ☐ co ☐ rado.

b. Ch' vint i done, met-t' au ☐ co ☐ rado.

c. J'éto déhor quand qu'i a draché, achteure m' vla tout ☐ frèche ☐ frèke.

d. Aveu l' caleur qu'i fait, cha fait du bin de s' mette au ☐ frèche ☐ frèke din s' mason.

5 On a mélangé les lettres des noms de quatre mois. Réécrivez-les correctement. Ajoutez le nom des saisons correspondantes que vous trouverez dans la grille.

a. B I C É D H E M → .... / saison : ....

b. R A I V → .... / saison : ....

c. E L I U J T → .... / saison : ....

d. V E B M O N I → .... / saison : ....

V	I	O	U	R	B	I	A	U	S	J	O	U	R	S	A	L	A
C	H	I	L	B	O	N	T	A	N	S	Q	U	I	S	U	A	P
R	É	S	A	U	I	L	U	K	E	R	C	O	U	R	T	S	J
O	U	R	S	P	U	G	U	W	A	T	E	L	I	B	I	Y	A

Le futur

Le futur simple se forme de façon analogue au conditionnel (voir chapitre 15), mais avec d'autres désinences. Il se construit selon le modèle : radical (en principe inaccentué) + infixe **-r-** + désinence personnelle :

- singulier 1. **-ai** 2. **-as** 3. **-a**
- pluriel 1. **-ons** 2. **-ez** 3. **-ont**

Exemples :

acater, *acheter* (radical unique **acat-**)
j'acatrai, t'acatras, i acatra, os acatrons, os acatrez, is acatront → *j'achèterai*, etc.

vinde, *vendre* (radical inaccentué **vind-**)
j' vindrai, te vindras, i vindra, os vindrons, os vindrez, is vindront → *je vendrai*, etc.

finir, *finir* (radical inaccentué **finich-**)
j' finichrai, te finichras, i finichra, os finichrons, os finichrez, is finichront → *je finirai*, etc.

vir, *voir* (radical inaccentué **vé(ï)-**)
j' vérai, te véras, i véra, os vérons, os vérez, is véront → *je verrai*, etc.

vnir, *venir* (radical inaccentué **v(e)n-**)
j' vènrai, *je viendrai*, etc. Souvent modifié en **j' vinrai** (nasalisation), **j' vérai** ou **j' varai** (simplification du groupe de consonnes).

Exceptions :

- **ête**, *être*, **j' srai** → *je serai*
- **avoir**, **j'arai** → *j'aurai*
- **aller**, **j'irai** → *j'irai*
- **faire**, **j' frai** → *je ferai*

Certains verbes dont l'infinitif est en **-ir** forment leur futur en **-irai**, etc. Cela concerne :

- les verbes du 3e groupe sauf **vir**, **vnir** : **j' mintirai**, *je mentirai*, **j' sintirai**, *je sentirai*, etc. ;
- les verbes du 2e groupe, pour lesquels on a le choix entre cette forme (**j' finirai**) et la forme régulière donnée plus haut (**j' finichrai**).

Les verbes dont l'infinitif est en **-voir** forment leur futur en **-varai** :

- **truvoir**, *trouver* → **j' truvarai**, *je trouverai*
- **erchuvoir**, *recevoir* → **j'erchuvarai**, *je recevrai*

6 Conjuguer les verbes au futur.

a. prinde	b. bisir	c. boire	d. roblier
j'	j'	j'	j' ....
te	te	te	te ....
i	i	i	i ....
os	os	os	os ....
os	os	os	os ....
is	is	is	is ....

7 Traduisez les phrases suivantes en chti.

a. Demain il fera chaud, nous boirons beaucoup d'eau.

→ ....

b. S'il y a du soleil, tu bronzeras.

→ ....

c. Dans l'après-midi il pleuvra, vous prendrez votre parapluie.

→ ....

d. J'espère que tu n'oublieras pas ton maillot de bain !

→ ....

8 Mettez les phrases au futur.

a. Tertous i a in nouviau estilo.

→ ....

b. J't'huke quand que j' su rintré à m' mason.

→ ....

c. In est libe, in fait chou qu'in veut.

→ ....

d. Os some à l'aprésau, i drache.

→ ....

Le futur proche

Il se construit, comme en français, à l'aide de l'auxiliaire **aler** + le verbe à l'infinitif :
J' va minger → *Je vais manger.*

9 Dans la ligne suivante, séparez les mots pour reconstituer quatre phrases.
Placez les phrases à côté des illustrations qui leur correspondent.

IVAACATERINAPARELFOTOIVANETIERLSALEDBAINALEVAMINGERENE
GLACHEISVONTJUERAUFOTBAL

a. ....

b. ....

c. ....

d. ....

10 Faites correspondre les phrases suivantes avec le lieu où elles peuvent être prononcées.

a. Mes gins, chl'espectake i va kmincher ! • • 1. à l'estacion

b. L' boutique i va fremer din in quart d'eure. • • 2. din chl'aréo

c. Ch' train liméro 2832 pou Aro i va partir. • • 3. à mon du cérusien

d. Atindez ichi, ch' docteur i va vnir ! • • 4. au téïate

e. Loïez vos chintures, chl'aréo i va bétot s'involer ! • • 5. au boutique

Proficiat ! (Félicitations !) Vous êtes venu(e) à
bout du chapitre 17 ! Il est maintenant temps
de comptabiliser les icônes et de reporter le
résultat en page 128 pour l'évaluation finale.

18

Poser des questions

L'interrogation totale

L'interrogation est totale lorsqu'elle porte sur la totalité de la phrase. La réponse attendue est « oui » ou « non ».

Trois formes sont courantes en picard :

- Interrogation marquée uniquement par l'intonation (et un point d'interrogation à l'écrit) : **Os vérez dmain ?** → *Vous viendrez demain ?*
- Particule interrogative **-ti** placée après le verbe : **Os vérez-ti dmain ?** → *Viendrez-vous demain ?*
- Mot outil **jou qu' (qu')** en début de phrase (équivalent de *est-ce que* en français) : **Jou qu'os vérez dmain ?** → *Est-ce que vous viendrez demain ?*

Remarque : dans cette troisième forme, la conjonction **qu'** est répétée lorsque la phrase commence par autre chose qu'un pronom. Exemple : **Jou qu' tin frère qu'i véra dmain ?** → *Est-ce que ton frère viendra demain ?*

Réponses possibles :

awi ou **aè**, *oui*	**pétète**, *peut-être*
nan, *non*	**je n' sai pon**, *je ne sais pas*

1 Répondez aux questions par oui ou par non en vous référant aux illustrations.

ex. Jou qu'i drache ? Awi, i drache.

 a. Te vas pourméner à vélo ?

....

 b. Jou qu' mémère qu'ale a fait du watiau ?

....

 c. Ch'est-ti in kien ?

....

 d. Ny-a-ti chonc boutèles ?

....

2 **Posez les questions correspondant aux assertions suivantes, de trois manières différentes à chaque fois. Exemple :** *I keit des nèges.* → *1. I keit des nèges ? 2. I keit-ti des nèges ? 3. Jou qu'i keit des nèges ?*

a. I a des nouvièlés cauchures.

→ **1.** .... ?

→ **2.** .... ?

→ **3.** .... ?

b. Ch'est miu come cha.

→ **1.** .... ?

→ **2.** .... ?

→ **3.** .... ?

c. Min mononke Zef i euve à l' fabrique.

→ **1.** .... ?

→ **2.** .... ?

→ **3.** .... ?

d. L'énée qui vient os irons in vagances à Malo.

→ **1.** .... ?

→ **2.** .... ?

→ **3.** .... ?

L'interrogation partielle

L'interrogation est partielle lorsqu'elle porte sur un élément de la phrase que le locuteur demande à préciser. Elle est exprimée à l'aide de mots interrogatifs (pronoms, adjectifs, adverbes).

Principaux mots interrogatifs

qui qu' ch'est qu' ? quièche qu' ?	*qui ?*
quo qu' ch'est qu' ? quo qu' ?	*quoi ? que ?*
lqueu qu' ?	*lequel ? laquelle ?*
lesqueus qu' ?	*lesquel(le)s ?*
queu ?	*quel ? quelle ?*
queus ?	*quels ? quelles ?*
quand qu' ch'est qu' ? quand-jou qu' ?	*quand ?*
kmint qu' ?	*comment ?*
dù qu'ch'est qu' ? dù qu' ?	*où ?*
pouquo qu' ? à cause qu' ?	*pourquoi ?*
combin qu' ?	*combien ?*

3 Répondez aux questions en conjuguant le verbe entre parenthèses.

a. Kmint qu'os s'aplez ? – J' (s'apler) Zef Cafougnète. → ....

b. D' dù qu'os vnez ? – J' (vnir) de Dnain. → ....

c. Dù qu' ch'est qu'os ouvrez ? – J' (ouvrer) à l' fosse. → ....

d. Combin qu' t'os avez d'éfants ? – J' (avoir) tros fius pi deus files. → ....

4 Ajoutez le mot interrogatif qui convient.

a. .... qu' te vènras à m' mason ? – Lindi qu'i vient.

b. .... qu' t'as acaté ch' live-chi ? – Pou mi aprinde l' picard.

c. .... d' ches mantiaus qu' te vas mette ? – L' ganne.

d. .... qu' t'as vu au boutique ? – No vigin.

5 Dans le texte suivant, remplacez les images par les mots qui conviennent.

Béber pi Fonsine is ont acaté ene tiote ....à Berk,

pou ches vagances. L' semdi, quand qu'i fait biau, is printte leu

.... pi is s'in vont s'erposer lavau. Fonsine pi ches éfants is vont à

l' plage, mais Béber i a pu ker aler à l' pèke. L'aute caup, i a péké gramint d'

....................., is l's ont grillé su ch' barbécu pi is l's ont mingé aveuc

des .... à l' plure. Ch'étot fin bon !

6 Répondez aux questions suivantes, qui portent sur le texte de l'exercice précédent.

a. Dù qu' ch'est qu'Béber pi Fonsine qu'is ont acaté ene mason ?

→ ....

b. Kmint qu'ale est leu mason ?

→ ....

c. Queu jour qu'is vont s'erposer ddin quand qu'i fait biau ?

→ ....

d. Aveuc quièche qu' Fonsine qu'ale va à l' plage ?

→ ....

e. Quo qu' ch'est qu' Béber qu'i a pu ker ?

→ ....

L'interrogation indirecte

L'interrogation indirecte totale est introduite par **si qu'**, *si* :
I dmande si qu'os vérez dmain → *Il demande si vous viendrez demain.*

L'interrogation indirecte partielle est identique à l'interrogation directe :
I dmande quand qu' ch'est qu'os vérez → *Il demande quand vous viendrez.*
(Cf. **Quand qu' ch'est qu'os vérez ?** → *Quand viendrez-vous ?*)

La forme verbale **m'apinse**, *je me demande* est fréquemment utilisée dans l'interrogation indirecte : **M'apinse si qu'i véra dmain** → *Je me demande s'il viendra demain* (remarquez l'absence de pronom personnel).

7 Transformez les questions directes en questions indirectes introduites par *m'apinse...* (je me demande...). Exemple : *I fra biau dmain.* → *M'apinse si qu'i fra biau dmain.*

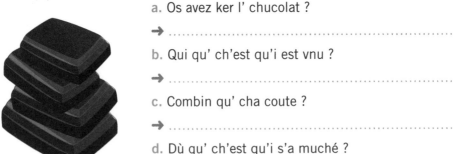

a. Os avez ker l' chucolat ?

→ ....

b. Qui qu' ch'est qu'i est vnu ?

→ ....

c. Combin qu' cha coute ?

→ ....

d. Dù qu' ch'est qu'i s'a muché ?

→ ....

Proficiat ! (Félicitations !) Vous êtes venu(e) à bout du chapitre 18 ! Il est maintenant temps de comptabiliser les icônes et de reporter le résultat en page 128 pour l'évaluation finale.

1. La graphie

1 a., c., d.

2 a., b., e.

3 a. <u>c</u>aveu b. <u>k</u>eurir c. <u>k</u>mige d. <u>q</u>uécun e. <u>c</u>auchète

4 a. [g] b. [g] c. [j] d. [j] e. [g]

5 a. accion b. diner c. filosofie d. gazète e. conter

6 a. abolicion b. atinde c. formasrie d. tière e. vake

7 a. ai b. au c. o d. ain e. qu

2. La prononciation

1 a. 11 b. 16 c. 9 d. 13 e. 10 f. 12 g. 6 h. 3

2 a. vinde b. du chide c. l' vrite d. ene rose e. probabe
f. i récape g. ch' live h. l' langue i. du chuke

3 a. ducasse + onze b. ofère + pove c. contabe + timpe d. tiète
+ rinde e. acater + longue

4 a. mintir b. tros c. plache d. nouviau e. erfaire f. chinte

5 a. Il chante souvent avec ses amis. b. Tu as vu mon nouveau
chapeau ? c. Dans mon jardin j'ai des beaux poireaux. d. Ça n'est
pas croyable. e. Baptiste va manger des gaufres.

6 a. L' queue b. Couker c. Voloir d. Ch' moniau e. Aringuir
f. L' païèle g. Ch' bras

3. Former ses premières phrases

1 a. l' / ene b. ch' / in c. l' / ene d. chl' / in e. chl' / ene
f. ches / des g. chl' / in h. ch' / in i. ches (ou ch's) / des (ou d's)

2 a. Ene tave b. L' cose c. In abe d. Ene fiète
e. Ene glène

3 a. su t- b. avons / ons c. sont d. as e. est f. est g. ont

4 1. a., c., e. 2. d., g. 3. b., f.

5 J' cante, te cantes, i/ale cante, os cantons, os cantez, is cantte.
J' pinse, te pinses, i/ale pinse, os pinsons, os pinsez, is pinstte.
J'aflate, t'aflates, i/ale aflate, os aflatons, os aflatez, is aflatte.

6 a. Ch' watiau i n'est pon minjabe. b. Chl'ome i acate in biau
mantiau. c. Quo qu' ch'est qu' te ravises ? d. Ches curés is minjtte
des peumétères aveuc del salade. e. Ches moniaus is cantte bin.
f. Ch' tiot kinkin i aflate ch' cat.

7

a.		C	L	È	R				
b.	A	L	I	E	V	E	S		
c.	M	A	R	I	S	T	R	E	S	S	E
d.		I	N	K	E				
e.		T	A	V	É	L	I	A	U
f.		E	S	T	I	L	O		
g.	A	M	A	S	S	O	I	R	
h.		F	E	U	L	E			

Réponse : **L' CARNASSE**

4. Saluer, se présenter et présenter quelqu'un

1 a. Bonjour m'n ome ! b. Ugène ! c. T'es là Ugène !
d. Mi cha va, pi ti ?

2 a. apèle b. aplez / lomez c. est d. va e. va

3 b. Ch'est sin mononke. c. Ch'est sin père. d. Ch'est
s' taïone. e. Ch'est ses cousses.

4 a. J' m'apèle X. b. Min père i s'apèle Y pi m' mère ale s'apèle
Z. c. Min mononke ch'est W. d. Mes cousses is s' lomtte J pi K.

5 a. Zef pi Zélie. b. l' file. c. Zef pi Zélie. d. tiot-fiu

6 a. ouvérier b. cérusien c. bouticlière d. maristresse e. pékeus

7

E	C	A	R	B	O	N	I	E	R	P	S	Q	U	E	U
S	D	C	O	M	E	D	I	E	D	I	N	T	I	S	S
E	E	C	A	D	O	R	E	U	S	C	I	N	S	I	E
R	B	O	U	L	I	N	G	U	E	R	K	Q	U	V	E
R	I	E	R	U	B	O	U	T	I	C	L	I	E	R	E

Réponse : **PEKEUS** (*pêcheur*)

8 Nicolas : Bonjour messieurs dames !
Joseph : Bonjour tout seul ! Comment t'appelles-tu ?
Nicolas : Moi, c'est Nicolas.
Joseph : D'où es-tu, Nicolas ?
Nicolas : Je suis d'Armentières. Et toi ?
Joseph : Moi je suis d'Arras.
Nicolas : Voilà ma femme, elle s'appelle Honorine.
Elle est dentiste. Elle est de Boulogne-sur-Mer.
Joseph : Et toi, quel est ton métier ?
Nicolas : Moi, je suis boulanger.
Joseph : Salut, Nicolas !
Nicolas : Au revoir !

9 Bonjour, kmint qu'i va ? Mi j' su Cola. Min père i s'apèle Zef, i
est clèr. M' mère ale est imploïée. Mes taïons is sont bouticliers. Is
sont d' Boulone. M' feme ale s'apèle Lalie, ale est d' Paris. Pi vlà
m's éfants, Matiu pi Marie.

5. Le nom

1 a. Ch's amaires, *les armoires* b. Ches cadots, *les fauteuils*
c. Ches jornals, *les journaux* d. Ches cadoreus, *les gendarmes*
e. Ches zius, *les yeux*

2 a. In estilo, *un stylo* b. In vitrau, *un vitrail* c. In canteus,
un chanteur d. In batiau, *un bateau* e. In momint, *un moment*

3 a. cambe. b. plache de dvant. c. cugène. d. sale d' bain.
e. buriau

4 a. plache de dvant / intrée / sale d' bain / basse-cambe.
b. cambes.

5 a. L' perzidinte. b. L' taïone. c. L' dintiste. d. L' barakène.
e. Ene plaindoire

6 Artisse

7 a. polir : *un fer à repasser* b. racler : *une raclette* c. erfrodier :
un réfrigérateur d. s' baloncher : *une balançoire* e. ékeumer :
une écumoire

8 1. wassingue 2. télète 3. caïèle 4. miro 5. brouche 6. coutiau
7. cokmar 8. zièpe

Réponse : **chl' alambike**

9 M' mère ale nétie l' mason aveuc in ramon pi ene wassingue.
Mot mystère : **in ramon**

10 1. pe(u)keume. 2. (o)euve 3. fourkèt(t)e.

Réponse : **Ch' chuche-pourète.**

11 a. 3. b. 5. c. 2. d. 1. e. 4. f. 6

123

6. Les articles

1 a. l' b. ch', l' c. l' d. l' e. chl', ch' f. ches, l'

2 a. au b. de ch' c. au d. du, à ches e. du f. au, d' ches

3 a. du vin b. del tarte c. du pichon, del char d. del iau, del bière

4 a. del frène, *de la farine* b. d' l'ole, *de l'huile* c. du rum, *du rhum* d. des eus ou d's eus, *des œufs* e. du lait, *du lait* f. del bière, *de la bière* g. du chuke, *du sucre* h. del castonade, *de la cassonade*

5 j' bo (1. a. IV), j' vo (1. c. IV), te bos (2. a. II), te vos (2. c. II), os beuvez (3. b. I), os véïez (3. d. I), is botte (4. a. III), is votte (4. c. III)

6 L' tarte : b., e., f., h., j. / Ch' couet : a., c., d., g., i.

7 Mots cachés : BIÈRE, IAU, VIN, RUM.

Réponse : **bochon**

8 a. la b. l' c. l', l' d. la e. la f. Ø

9 a. Mange, tu ne sais pas qui te mangera ! b. Il a un appétit d'oiseau. c. Il a les yeux plus grands que le ventre.

10 a. Min père i fait souvint l' pèkeume. b. I boute ches inguerdients din ch' couet ; des peumétères, del char, du sé. c. I boute ches télètes su l' tave pi i huke ches éfants. d. L' fiu d' min vigin i veut du watiau.

11 a. in ramon. b. boire. c. ch' policho

12 a. J' va au marké acater du pichon. / J' va acater du pichon au marké. b. Magrite ale huke s' mère.

7. Les démonstratifs

1 a. 2 b. 3 c. 1 d. 3 e. 2 f. 4

2 a. l' b. ches c. ches d. chl' e. ch' f. l'

3 a. L'/Chele file-chi ale est bélote. b. Ches pinderlots-chi is sont in argint. c. Chl'acourcheu-chi i est tout rataconé.

4 a. e, Ø b. es, es c. e, Ø d. ons, ons e. ez, ez f. tte, tte

5 a. à pieds décaus b. in pule-cors c. mer-nud

6 a. chele b. chti c. cheus d. cheles/chètes

7 a. là b. chi c. chi-là d. là-là

8 a. pékeus b. maristresse c. dintisses d. boulinguer

9 a. quère b. ker c. ker d. keir

10

M	A	N	T	I	A	U	
C	O	T	R	O	N		
K	E	M	I	G	E	T	E
P	I	J	A	M	A		
C	A	U	C	H	E	T	E	S

Réponse : **aniau**

11

C	A	S	A	Q	U	E
E	S	P	I	N	C	E	R
M	A	R	O	N	E	
C	A	S	Q	U	E	T	E
B	E	R	T	I	E	L	E	S
C	A	U	C	H	U	R	E	S

Réponse : **croate**

12 a. cha, cha b. ch' c. chou d. chan

13 a. N' met pon ch' viu espincèr-là, i faut l' rataconer.
b. J'ai ker tout chan que m' taïone ale fait à minger.
c. Tout chti qu'i a ker ches ratons ch'est in glout-biec.

---

d. Te peus afuler (ou : mette) chele (ou : l') casquète-là, a' t' sit fin bien.

8. Décrire les qualités et les défauts

1 a. bélot b. long c. largue d. caud e. bon f. bavillar

2 a. inglèse b. malureuse c. vièle d. roide e. muïèle f. malène

3 a. caud b. peuriuse c. long d. né e. nouvièle

4 a. 3 b. 5 c. 2 d. 1 e. 4

5 a. zius b. orèles c. dots d. nez e. bouke

6 a. 2 b. 5 c. 1 d. 3 e. 4

7 a. des nouviaus vigins b. ches casquètes inglèses c. des largués amaires d. ches bons artisses e. des dalaches pon possibes

8 a. des largués épaules b. des largues espincèrs c. ene largue kémige

9 a. noirtes b. bleusés c. blanc d. ganne Réponse : **bitaclé**

10 a. Os avez ene grande bouke. b. Ch'est in garchon peurius. c. Ale a des noirts caveus. d. Te conos l' parlache picard ?

11 nouvièle, chucrée, bone, meilleu, bénache

12 a. Tes caveus is sont gramint longs, pi tes orèles is sont brousées. b. I a des noirts zius pi des rods caveus (ou : des caveus rods). c. Ale est bélote aveuc ses caveus crolés. d. Ch' viu taïon-là i a ene grosse panche.

9. Parler de ses origines

1 a. d', à b. Ø c. d', Ø

2 a. d'Aro. b. d' Doï. c. d' Tourco. d. d' Lévin

3 a. Ch'est ches Arajos. b. Ch'est ches Valinchénos. c. Ch'est ches Roubéniots. d. Ch'est ches Kimberlots.

4 a. Bournoise / makeuse d' breules b. Kimberlote c. Liloise / sote Liloise / Liloise foreuse

5

E	Q	U	P	O	C	K	T
B	E	L	G	I	Q	U	E
E	P	M	L	R	I	M	L
D	A	P	O	M	H	G	F
C	N	O	U	P	L	L	E
A	E	B	V	N	B	L	M
P	O	K	C	I	S	Q	L

Réponse : **Épane**, *Espagne*. Le piège : *Belgique* (ce serait Bergique)

6 (**Ch'est Aniek pi Corene.**) Is vientte d' Flande. Ch'est des Flaminkes. Is paltte flaminc. (**Ch'est John.**) I vient d'Inguéltière. Ch'est in Inglés. I pale inglés.

7 a. Helmut ch'est in Almand, i vient souvint in vagances din ch' Nord. I n'a pon ker l'aréo, i a pu ker vnir in caraban. b. Lalie ale va vir s' file à Torné, in Walonie picarde. Lavau ches gins is paltte francés pi picard.

8 a. Normindie (nom de région, les autres sont des noms de pays) b. Dunkerque (on n'y parle pas picard) c. Tourco (nom de ville, les autres sont des noms d'habitants)

9 Un Quatorze Juillet, je vois mon voisin Cafougnette / Habillé tout de neuf, des pieds jusqu'à la tête, / Il avait son haut-de-forme, une valise dans les mains, / Et c'était à peine s'il regardait les gens.

10 a. Valenciennois (indices : chacun, s') b. Vimeu (indices : chatchun, sin)

11 a. 2, 3, 4, 6 b. 2, 5 c. 3, 4, 6, 7 d. 7 e. 1

⓬ **a.** Calais **b.** Liévin **c.** Béthune **d.** Douai

⓭ **a.** Boulogne **b.** Valenciennes **c.** Roubaix **d.** Amiens

10. Exprimer la possession

❶ **a.** min **b.** tes **c.** s' **d.** no

❷ **a.** m', min **b.** tin, tes **c.** s'n **d.** no **e.** vos **f.** leu

❸ **a.** ses caveus **b.** leus zius **c.** s' brone **d.** sin nez

❹ Min viu vigin i vient tous les matins à m' mason pi i m' raconte s's istoires.

❺ **a.** Je me suis fait mal à la jambe. **b.** Tu t'es coupé le doigt. **c.** Il a un drôle de chapeau sur la tête.

❻ **a.** s' **b.** vos **c.** sin

❼ **a.** l' miène **b.** l' leur **c.** les votes **d.** l' siène / l' sien

❽ **a.** Nan, je n' va jamais à l'opitau quand qu'j'ai l' souglou. **b.** Awi, j' prins toudi du chiro quand que j' tousse. **c.** Awi, j'ai alfos du mau à m' panche quand que j' minge des glaches. **d.** Nan, j' n'euve pu à l' formasrie. **e.** Awi, j'ai souvint les fièves quand que j' su inchiferné.

❾

S	O	U	G	L	O	⟨U⟩	V	E	R	⟨M⟩	A	T
⟨E⟩	T	I	⟨O⟩	R	O	G	U	E	S	A	L	F
O	⟨S⟩	⟨O⟩	P	I	T	A	⟨U⟩	L	L	⟨E⟩	I	E
V	E	⟨S⟩	⟨C⟩	O	R	M	A	S	R	I	⟨E⟩	A
N	T	⟨I⟩	N	C	H	I	F	E	R	N	⟨E⟩	R

Réponse : **vertillant** (*en forme*)

❿ **a.** de **b.** d' **c.** Ø **d.** d'. **e.** Ø

⓫ **a.** l' siène **b.** chti **c.** chti **d.** l' siène **e.** chele

⓬ pauchet, laridé, long-dint, Jan del sau, tit-courtiau

⓭ **a.** L' fiu Jan i a du mau à s' main. **b.** I va à l'opitau vir ch' cérusien. **c.** l' siène Batisse i est inchiferné. **d.** I va à l' formasrie acater du chiro.

11. Les prépositions

❶ **a.** su. **b.** dzou. **c.** dvant. **d.** drière. **e.** din. **f.** dlé

❷ **a.** Ch' live i est dzou l' feule. **b.** J'ai mis m' kémige pa-dzou mn'espincer. **c.** Ches gardins is sont alintour de ch' catiau. **d.** L' mairrie ale est dlé chl'églige.

❸ **a.** Ale est din l' plache de dvant, dlé ch' cadot. **b.** Ale est din l' carète, dzou ch' mantiau.

❹ **a.** à mon d'. **b.** à mon. **c.** à mon d'. **d.** à mon

❺ Formes correctes : **a.** au **b.** au **c.** à mon du. **d.** à mon du. **e.** au

❻

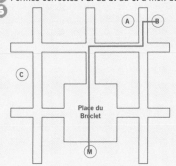

Place du Broclet

7. devant. 8. aveuc

❼ **a.** devant. **b.** avant. **c.** avant. **d.** devant. **e.** avant

❽ **a.** aveuc in louchet **b.** aveuc ene bérouète / din ene bérouète **c.** in épeutnar **d.** aveuc ene fourke **e.** ene erbrakète

❾

B	E	R	O	U	E	T	E
A							
T							
A	I						
R	A						
L	O	U	C	H	E	T	
U							
S							
F	O	U	R	K	E		

Réponse : otius

❿ **a.** apré. **b.** à. **c.** à. **d.** apré. **e.** à

⓫ **a.** cache. **b.** quère. **c.** quère. **d.** cache

⓬ **a.** J'atin apré t' seur. **b.** Os cachons à fleurs din ches camps. **c.** I cache apré sin louchet, Fonse i l'a muché din l' basse-cambe.

⓭ **a.** apré. **b.** sans. **c.** conte. **d.** aveuc

12. Les nombres, la date, l'heure

❶ **a.** chint trèse. **b.** tros chints trinte tros. **c.** quate miles sis chints sochante sich. **d.** deus miyars neu chint quatervint siet miyons sis chints chincante quate miles tros chints vint et un

❷

	4		3	1 000	16 S
Q	20	T	M	E
U	V	R	I	S
G	A	I	O	L	E
T	N	S	E
E	T

Réponse : **gaïole** (ascenseur)

❸ **a.** 60 → chincante siet pi tros cha fait sochante. **b.** 26 → trinte et un moins chonc cha fait vint sich. **c.** 32 → uit caups quate cha fait trinte deus. **d.** 250 → chonc chints dévisé pa deus cha fait deus chints chincante.

❹ $(((3 \times 3) - 2 + 1) \div 4) \times 10) - 10 = 10$

❺ **a.** Combin qu' cha coute in vélo ? À m' mode qu' cha coute quate chints euros, ene nieuche dzou dzeur. **b.** Combin qu' cha coute in voire ? À m' mode qu' cha coute douse euros, ene nieuche dzou dzeur. **c.** Combin qu' cha coute in croate ? À m' mode qu' cha coute vint chonc euros, ene nieuche dzou dzeur.

❻ **a.** 182 **b.** 355 **c.** 33 **d.** 41 000 **e.** 1 186

❼ **a.** fai **b.** fais **c.** fait **d.** faijons **e.** faigez **f.** faitte

❽ **a.** onzème **b.** trinte-et-eunème **c.** chintème **d.** chint vint chonquème

❾ **a.** Semdi ch'est l' sigème jour del sémaine. **b.** Batisse i resse au sétème étache. **c.** Noë ch'est l' vint chonc d' déchimbe.

❿ **a.** L' verdi douse d'avri deus miles dij-neuf **b.** L' siet d' novimbe mile neu chints dis-siet **c.** L' uit d' mai mile neu chints quarante chonc **d.** L' quatore d' juliet mile neu chints quatervint-dij-neuf **e.** Énui ch'est l' preme d' mai mile neu chints quatervint-dij-neuf

⓫ **a.** 4 **b.** 1 **c.** 3 **d.** 2

⓬ **Phrase 1** 1. C. c. **Phrase 2** 1. D. a. **Phrase 3** 2. A. b. **Phrase 4** 2. B. d.

13 **a.** j' dène, te dènes, i dène, os dinons, os dinez, is dèntte.
b. j'erchène, t'erchènes, i erchène, os erchinons, os erchinez, is erchèntte. **c.** je m' jouke, te t' joukes, i s' jouke, os s' joukons, os s' joukez, is s' jouktte.

14 **b.** I va à l'ouvrache au quart d' neuf eures. **c.** I minge (ou : i miue) aveuc ses colègues à none et dmi. **d.** I euve à tros eures. **e.** I rinte à s' mason à sij eures dich. **f.** I fait l' pèkeume à siet eures in quart. **g.** I soupe à uit eures. **h.** I ravise l' télé à neuf eures. **i.** I s' jouke à dis minutes pou onze eures.

13. Les pronoms personnels

1 **a.** is **b.** ale **c.** te **d.** t' **e.** j' **f.** os

2 **a.** T'n estilo i est su l' tave. **b.** Tes cauchures is sont fin bièles. **c.** Normalmint Cola i soupe à uit eures. **d.** Gélique a' s' jouke au quart d'onze eures.

3 **a.** I ll' conot. **b.** I faut Izé comprinde. **c.** Zélie a' n' sait pon ll' faire. **d.** In Iz'acate pou Paque. **e.** Te ll'as vu ?

4 **a.** J' n'atin pon apré ch' caraban d' dij eures. **b.** Je n' cache pon apré min kien. **c.** Te n' viens pon m' vir à l'ermontée. **d.** S' carète a' n'est pon vièle

5 **a.** Qui va à la chasse perd sa place ! **b.** Il n'est pas toujours à la fête ! **c.** On ne fait pas d'omelette sans casser des œufs.

6 **a.** Awi, je t' fai (ou : j' te fai) à minger. **b.** Awi, j' vos invite pou mes ans. **c.** Awi, ch' tirloteis i nos bale ene péluche. **d.** Awi, ch' bradeus i ll' vint pou chonc euros.

7

C	R	U	N	C	A	N	N	E	S
R	U	S	S	E	S	**P**	**L**	**A**	**N**
K	E	R	O	U	G	A	I	L	L
O	U	A	T	I	R	L	I	B	I
B	I	P	E	K	E	A	Z	A	N
E	T	E	S	**R**	**E**	**U**	**L**	**E**	S
K	V	A	U	S	D	B	O	B	A
L	O	N	C	H	O	I	R	E	S

Réponse : **ene planke à reules** (un skateboard)

8 **a.** s' dérinvillons. **b.** s' faigez. **c.** m' perzinte. **d.** s'acate. **e.** s' racontte

9 **a.** Mi-z-aute j' bos du café chonc caups par jour. **b.** Vous-aute os dinez à vo mason. **c.** Ti-z-aute te vas juer à l' pèke a z-anètes. **d.** Nous-autes os alons in vagances au Touquet.

10 **a.** Bale-mme ch' sé ! **b.** Ravise-tte din ch' miro ! **c.** Prin-lle (ou : prin-l') aveuc ti ! **d.** Dérinvillez-vous ! **e.** Perzinte-leus tes parints !

11 **a.** 1 **b.** 2 **c.** 2 **d.** 1

12 **a.** Amoute-zi-lle = Montre-la-lui. **b.** Di-me-lle = Dis-le-moi. **c.** Bale-zi-lle = Donne-le-lui. **d.** Dessine-me-lle = Dessine-le-moi.

13 Moi, toi, lui, nous autres et eux, / Ce sont des petits mots qu'on dit souvent / Et que tout le monde dans la région comprend, / De l'Avesnois jusqu'à Ambleteuse.

14. Les indéfinis

1 **a.** ene séquo **b.** quécun **c.** quèque part **d.** ene séchu

2 **a.** Acate-me ene séquo d' biau ! **b.** J' ne l' treuve pon, i est muché ene séchu. **c.** Ny-a ene séqui qu'i veut t' vir. **d.** In va faire in séquant exercices d' gramaire. / In va faire séquants exercices d' gramaire.

3 **a.** Nan, j' n'intin rin. **b.** Nan, te n' conos persone ichi. / te n' conos nulu ichi. **c.** Nan, tes cauchètes is n' sont nurvar. **d.** Nan, os n' pinsons à rin.

4 **1.** maguète **2.** mouke **3.** kvau **4.** kien **5.** berbi **6.** lapin **7.** pouchin **8.** ojau **9.** cat **10.** codin

5 **a.** 4. B. **b.** 3. A. **c.** 2. D. **d.** 1. C.

6

A	P	O	U	R	D	È	N	E	M
O	U	K	E	**G**	**L**	**A**	**P**	**I**	**N**
O	J	O	N	**A**	A	N	È	T	E
C	V	A	K	E	M	**A**	**G**	**U**	**È**
T	E	**H**	B	A	U	D	E	T	E

Réponse : **agache**

7 **a.** tous **b.** tous **c.** tout **d.** tout **e.** tout

8 **a.** toute **b.** tertous **c.** tertous **d.** toute **e.** tertous

9 **a.** Awi, is cantte tertous. **b.** Awi, is sont tertous gris. **c.** Awi, is sont tertous au chucolat. **d.** Awi, is sont tertous brigées.

10 **a.** Tertous i veut minger à l'estaminet. **b.** Toute i est bon din l' pourchau. **c.** Tertous i conot ch' canteus-là. **d.** I faut in molet d' toute. **e.** Mets tous ches peumes din l' tarte.

11 **a.** tout **b.** fin **c.** ene buke **d.** tout

12 **a.** Tous ceux qui écrivent tiennent leur stylo dans la main. **b.** Joseph est très courageux, il travaille du matin au soir. **c.** Je n'ai plus du tout d'argent dans mon porte-monnaie. **d.** Tout ce qui brille n'est pas de l'or.

13 **a.** 3 **b.** 2 **c.** 5 **d.** 1 **e.** 4

15. Donner un ordre, un conseil, exprimer une recommandation

1 **a.** Ravise ! Ravisons ! Ravisez ! **b.** Euve ! Ouvrons ! Ouvrez ! **c.** Déchin ! Déchindons ! Déchindez ! **d.** Muche-te ! Muchons-nous ! Muchez-vous ! **e.** Seuche ! Seuchons ! Seuchez ! **f.** Marche ! Marchons ! Marchez !

2 **a.** Faigez parler ches alieve. **b.** Faigez keurir ches kvaus. **c.** Faigez ervénir chl'ojau din s' gaïole. **d.** Faigez fonde ch' bure.

3 **a.** Arouse ch' gardin. **b.** Cache apré. **c.** Freme l' ferniète. **d.** Nétie-Izé.

4 **a.** nétiche, nétiche, nétiche, nétichonche, nétichèche, nétichtte **b.** doche, doche, doche, dvonche, dvèche, dochtte **c.** vache, vache, vache, alonche, alèche, vachtte **d.** aleume, aleume, aleume, aleumonche, aleumèche, aleumtte **e.** palche, palche, palche, parlonche, parlèche, palchtte

5 **a.** J' veu qu'os m' baillèche vo louchet. **b.** J' veu qu'os étindèche l' leumière dvant sortir. **c.** J' veu qu' te m' diche quo qu' t'in pinses. **d.** J' veu qu' te seuche bénache. **e.** J' veu qu' te m' cante ene canchon.

6 **a.** j' nétiro, te nétiros, i nétirot, os nétirome, os nétirote, is nétirotte **b.** j' dèvro, te dvros, i dvrot, os dvrome, os dvrote, is dvrotte **c.** j'iro, t'iros, i irot, os irome, os irote, is irotte **d.** j' truvaro, te truvaros, i truvarot, os truvarome, os truvarote, is truvarotte

7 **1.** e. **2.** d. **3.** b. **4.** c. **5.** a.

8 **a.** Si qu'i pleuvrot, j' prindro min parapleuve. **b.** Si qu'i frot biau, os s' pourmènrome. **c.** J'aro pu ker qu'i frot du solé.

9 aro dû – donero – aro su – srot – aro resté

16. Exprimer des événements passés

1 avotte – falot – alot – abruvot – rkeuillot – rintrot

Traduction : Pour finir leur journée, valets de fermes, servantes et maîtres / Avaient, avant de dîner, à s'occuper des bêtes ; / Il fallait faire la litière et nourrir les chevaux ; / On allait traire les vaches ; on abreuvait les veaux ; / On ramassait les œufs partout, dans le poulailler, dans l'étable… / (Quand) tout ça (était) fait, on rentrait à la maison se mettre à table.

2 **a.** j'aidio, t'aidios, i aidiot, os aidiome, os aidiote, is aidiotte **b.** j'aringuicho, t'aringuichos, i aringuichot, os aringuichome, os aringuichote, is aringuichotte **c.** j' dijo, te dijos, i dijot, os dijome, os dijote, is dijotte **d.** j' savo, te savos, i savot, os savome, os savote, is savotte **e.** j' conicho, te conichos, i conichot, os conichome, os conichote, is conichotte

3 **a.** ouvro **b.** étotte / totte **c.** mettote **d.** alome

4 **a.** Aïer i faijot frod, ny-avot du vint, i pluvot. **b.** Advanzier i faijot caud, ny-avot du solé, in étot caufouré.

5 **a.** a ervénu **b.** (n') a (pon) volu **c.** (n') ont (jamais) té **d.** ai écrit **e.** a acaté

6 **a.** j'ai fremé, t'as fremé, i a fremé, os avons fremé, os avez fremé, is ont fremé **b.** j'm'ai abillé, te t'as abillé, i s'a abillé, os s'avons abillé, os s'avez abillé, is s'ont abillé **c.** j'ai comprins, t'as comprins, i a comprins, os avons comprins, os avez comprins, is ont comprins **d.** j'ai truvé, t'as truvé, i a truvé, os avons truvé, os avez truvé, is ont truvé **e.** j'ai keu, t'as keu, i a keu, os avons keu, os avez keu, is ont keu

7 **a.** Is ont jué au fotbal. **b.** Ale a canté ene canchon. **c.** Te t'as débrousé. **d.** Os avons mingé des glaches. / Os avez mingé des glaches. **e.** J'm'ai jouké timpe. **f.** Is ont ouvré tout l' jornée.

8 **a.** Ch' varlet i s'a ocupé d' ches biètes. **b.** L' mékène ale a rkeuillé l's eus din ch' pouiller. **c.** Is ont rintré à l' mason pi is s'ont mis à tave (ou : à tabe).

9 **Passé :** b., c., f. **Présent :** a., d., e.

10 **a.** Charles de Gaulle **b.** Marguerite Yourcenar **c.** Line Renaud **d.** Franck Ribéry

17. Parler du temps qu'il fait – Le futur

1 **a.** le temps qui passe **b.** le ciel **c.** le temps qu'il fait **d.** le temps qui passe **e.** le temps qu'il fait

2 **c.** comporte le mot tant (*tant*) et non le mot tans (*temps*). Le sens est « tant et plus ».

3 **Question :** Queu tans qu'i fait ? **Réponses : a.** I fait du solé. **b.** I drache. / I pleut. **c.** I keit des nèges. **d.** I fait d' l'ernu.

4 **a.** co **b.** rado **c.** frèke **d.** frèche

5 **a.** déchimbe / (ches) courts jours **b.** avri / (ch') bon tans **c.** juliet / (ches) biaus jours **d.** novimbe / (chl') aprésau

V	I	O	U	R	B	I	A	U	S	J	O	U	R	S	A	L	A
C	H	I	L	B	O	N	T	A	N	S	Q	U	I	S	U	A	P
R	É	S	A	U	I	L	U	K	E	R	C	O	U	R	T	S	J
O	U	R	S	P	U	G	U	W	A	T	E	L	I	B	I	Y	A

6 **a.** j' prindrai, te prindras, i prindra, os prindrons, os prindrez, is prindront **b.** j' bisichrai, te bisichras, i bisichra, os bisichrons, os bisichrez, is bisichront (variante : j' bisirai, etc.) **c.** j' beuvrai, te beuvras, i beuvra, os beuvrons, os beuvrez, is beuvront **d.** j' roblirai, te robliras, i roblira, os roblirons, os roblirez, is robliront

7 **a.** Dmain i fra caud, os beuvrons gramint d'iau. **b.** Si qu'i ny-a du solé, te bisichras (bisiras). **c.** D'apré-none i pluvra, os prindrez vo parapleuve. **d.** J'espoire qu' te n'robliras pon tes loques d' bain !

8 **a.** Tertous i ara in nouviau estilo. **b.** J't'hukrai quand que j' srai rintré à m' mason. **c.** In sra libe, in fra chou qu'in vora. **d.** Os srons à l'aprésau, i drachra.

9 **a.** I va nétier l' sale d' bain. **b.** Is vont juer au fotbal. **c.** Ale va minger ene glache. **d.** I va acater in aparel foto.

10 **a.** 4 **b.** 5 **c.** 1 **d.** 3 **e.** 2

18. Poser des questions

1 **a.** Nan, j' va pourméner in carète. **b.** Awi, ale a fait du watiau. **c.** Nan, ch'est in cat. **d.** Nan, ny-a tros boutèles.

2 **a. 1.** I a des nouviélès cauchures ? **2.** I a-ti des nouviélès cauchures ? **3.** Jou qu'i a des nouvièles cauchures ? **b. 1.** Ch'est miu come cha ? **2.** Ch'est-ti miu come cha ? **3.** Jou qu' ch'est miu come cha ? **c. 1.** Min mononke Zef i euve à l' fabrique ? **2.** Min mononke Zef i euve-ti à l' fabrique ? **3.** Jou qu' min mononke Zef qu'i euve à l' fabrique ? **d. 1.** L'énée qui vient os irons in vagances à Malo ? **2.** L'énée qui vient os irons-ti in vagances à Malo ? **3.** Jou qu' l'énée qui vient qu'os irons in vagances à Malo ?

3 **a.** m'apèle. **b.** vien. **c.** euve. **d.** ai

4 **a.** quand qu' ch'est / quand jou **b.** pouquo / à cause **c.** Iqueu **d.** qui qu' ch'est / quièche

5 mason – carète – pichons – peumétères

6 **a.** À Berk. **b.** Ale est tiote. **c.** L' semdi. **d.** Aveuc ches éfants. **e.** Aler à l' pèke.

7 **a.** M'apinse si qu'os avez ker l' chucolat. **b.** M'apinse qui qu' ch'est qu'i est vnu. **c.** M'apinse combin qu' cha coute. **d.** M'apinse dù qu' ch'est qu'i s'a muché.

TABLEAU D'AUTOÉVALUATION

Bravo, vous êtes venu(e) à bout de ce cahier ! Il est temps à présent de faire le point sur vos compétences et de comptabiliser les icônes afin de procéder à l'évaluation finale. Reportez le sous-total de chaque chapitre dans les cases ci-dessous puis additionnez-les afin d'obtenir le nombre final d'icônes dans chaque couleur. Enfin, découvrez vos résultats !

	☺	☻	☹		☺	☻	☹
1. La graphie				10. Exprimer la possession			
2. La prononciation				11. Les prépositions			
3. Former ses premières phrases				12. Les nombres, la date, l'heure			
4. Saluer, se présenter et présenter quelqu'un				13. Les pronoms personnels			
5. Le nom				14. Les indéfinis			
6. Les articles				15. Donner un ordre, un conseil, exprimer une recommandation			
7. Les démonstratifs				16. Exprimer des événements passés			
8. Décrire les qualités et les défauts				17. Parler du temps qu'il fait — Le futur			
9. Parler de ses origines				18. Poser des questions			

Total, tous chapitres confondus ....

Vous avez obtenu une majorité de...

Ch'est fin bin !
Très bien !
Vous maîtrisez maintenant les bases du chti, vous êtes fin prêt(e) !

Cha va cor !
C'est pas mal !
Mais vous pouvez encore progresser... Refaites les exercices qui vous ont donné du fil à retordre en jetant un coup d'œil aux leçons !

Erkminchez cor in caup !
Recommencez !
Vous êtes un peu rouillé(e)... Reprenez l'ensemble de l'ouvrage en relisant bien les leçons avant de refaire les exercices.

Crédits iconographiques : Shutterstock.
Mise en pages : Élodie Bourgeois pour Lunedit
Réalisation : lunedit.com
© 2020 Assimil
Dépôt légal : janvier 2020
N° d'édition : 3928

ISBN : 978-2-7005-0848-2
www.assimil.com
Imprimé en Slovénie par DZS en décembre 2019